"**Vous nagez co[...] un véritable petit poisson!**"

"Votre manque de sophistication est étonnant," remarqua Cal, " avec les gens que vous deviez fréquenter du temps de votre père. Cela dénote une grande force de caractère. "

"Ou de la naïveté!" répliqua Regan. "Ne me traitez pas en enfant! J'ai vingt ans. Physiquement je suis une femme, même si je ne me conduis pas toujours en adulte. "

Elle fit un pas vers la piscine, mais Cal l'attrapa et l'embrassa fougueusement. "Satisfaite?" lui lança-t-il en la relâchant.

"Evidemment, vous m'avez mal comprise," dit Regan en s'essuyant la bouche du dos de la main.

"Je comprends plus que vous ne le croyez," fit Cal d'un ton narquois. "Si vous voulez vous livrer à des expériences de ce genre, choisissez donc quelqu'un de votre âge. "

1

— Hé, miss, cria le concierge. Voici Cal Garrard. Il vient d'arriver !

Regan regarda l'homme traverser le hall de l'hôtel ; il était de grande taille. Il dépassait le mètre quatre-vingt-cinq. Elle remarqua ses larges épaules, sa veste à carreaux rouges et noirs et son air autoritaire.

Se sentant observé, il lui lança un coup d'œil. Il faut bien risquer le coup, se dit-elle. S'armant de courage, elle l'aborda au pied de l'escalier.

— Monsieur Garrard, puis-je vous dire un mot ?

Il s'arrêta, une lueur de surprise traversa ses yeux gris.

— Vous êtes Britannique ! Ne sommes-nous pas un peu trop au nord pour des touristes ?

— Je ne suis pas une touriste, répondit Regan, et j'ai l'intention d'aller encore plus au nord.

Elle s'interrompit. Comme c'était difficile de demander un service à un inconnu !

— Le concierge m'a dit que vous alliez à Fort Lester en avion demain, continua-t-elle.

— C'est exact, fit-il, sans plus.

— Voulez-vous... m'accepteriez-vous comme passagère ? J'ai essayé en vain de louer un avion privé, et il n'y a qu'un autocar par semaine.

Un long silence précéda sa réponse.

— Pourquoi voulez-vous aller à Fort Lester ? Il n'y a rien là-bas hormis l'exploitation forestière.

— Il y a la ville... et le barrage, quand il sera terminé.

L'homme sourit brièvement.

— Ne me dites pas que vous êtes employée par la compagnie de construction !

— Bien sûr que non, fit Regan d'une voix tremblante, mais j'ai un parent qui travaille au barrage.

— Et vous voulez lui rendre une petite visite ? Quelle jeune fille intrépide !

Son sourire amusé ne lui facilitait pas la tâche.

— Je ne vois pas ce qu'il y a de drôle, répondit-elle rapidement... le barrage est seulement à une cinquantaine de kilomètres de Fort Lester. Je descendrai en ville, bien sûr.

— Bien sûr. Vous êtes-vous déjà trouvée dans une ville perdue, Miss... ?

— Ferris, Regan Ferris. Non, pas vraiment. Je suis allée de Vancouver à Prince George par le train. Nous avons traversé en route plusieurs petites villes.

Il arborait un sourire amusé.

— Alors, Miss Ferris, en comparaison de Fort Lester, ces villes-là sont des métropoles ! Lorsqu'il y aura l'électricité, ce sera différent. En ce moment, ce n'est pas un endroit pour une jeune fille seule, même pour une Canadienne et elles ont l'habitude. A Fort Lester, il n'y a que l'exploitation forestière, comme je viens de vous le dire. Pas d'esthéticiennes, pas de restaurants, même pas un cinéma de façon permanente. Les jeunes s'amusent au café et au bal public le samedi soir. Ce n'est pas ce que vous cherchez !

— Je ne suis plus une enfant, monsieur Garrard, et je peux me passer d'esthéticienne ! reprit-elle d'un ton égal.

— Vous avez peut-être raison, mais vous n'êtes pas tout à fait du genre pionnière non plus, n'est-ce pas ?

Il contempla sa bouche légèrement maquillée, sa peau dorée et ses cheveux châtains qui retombaient doucement en mèches soyeuses.

— Quelle différence cela fait-il ? répliqua-t-elle avec irritation. Je ne serais pas ici si je ne pouvais pas me passer de la vie civilisée.

— Ceci nous amène donc à la raison de votre présence ici. La *véritable* raison.

— Je vous l'ai déjà expliquée.

— Je sais ce que vous m'avez dit. Recommencez votre histoire. Personne ne vient ici pour dire bonjour à un parent. Qui est-ce, pour vous, ce garçon ?

Elle mordillait sa lèvre.

— Mon frère. C'est une longue histoire.

— Alors, il faut commencer par le début. Je vous donne quinze minutes !

Il la prit fermement par le coude et la guida vers le bar. Arrivé à une table, il ôta sa veste. Son fin pull-over blanc était raffiné. Il commanda deux verres, puis sortit de sa poche un étui à cigarettes en cuir.

— Vous fumez ?

Regan fit signe que non.

Sans lui demander sa permission, il alluma une cigarette.

— Alors, racontez.

Regan le regardait. En échange du service qu'elle lui demandait, il avait le droit de savoir pourquoi elle désirait se rendre dans le nord, mais elle hésitait à lui faire un récit complet de sa vie. Cependant, sous son regard insistant, elle capitula.

— Je n'ai pas vu Ben depuis trois ans, dit-elle. Mon père... Ben nous a quittés lorsqu'il avait dix-sept ans.

— Vous avez failli dire que votre père l'avait mis à la porte. Pourquoi ?

Les yeux verts de Regan prirent une expression offensée.

— Cela a-t-il de l'importance?

— Peut-être pas. Alors, vous ne l'avez pas vu depuis. Comment avez-vous su qu'il travaille à Keele?

— Je l'ai fait rechercher. Cela m'a pris pas mal de temps. Mon père est mort il y a dix mois, depuis, je recherche Ben.

— Et votre mère?

— Je ne me souviens pas d'elle. Elle est morte quand j'étais en bas âge. Ben est tout ce qui me reste comme famille. La construction l'a toujours passionné... il étudiait le génie civil avant de partir de chez nous... c'était une indication précieuse pour le bureau d'investigations. Papa m'a laissé un peu d'argent. Cela a couvert les frais de recherches et mon voyage au Canada.

Regan avait presque oublié qu'elle parlait à haute voix.

— Mon père était un homme d'affaires très habile. Il réussissait tout ce qu'il entreprenait. Il voyageait beaucoup, et je l'accompagnais souvent. Il m'emmena partout, après la fin de mes études. Nous avions un appartement à Genève et un autre à Londres. Il désirait m'initier à la marche de ses affaires.

— Pour remplacer le fils qu'il avait perdu? fit l'homme tranquillement.

— Oui, je pense. Mais Ben n'aurait pas aimé suivre le chemin de notre père. Il appelait cela des tractations. Moi, j'en avais l'habitude. La seule chose qui me manquait était la présence de Ben. Il a quatre ans de plus que moi, et il était toujours très drôle.

— Pas comme votre père.

— Il était fort occupé, protesta Regan. On ne peut pas rire tout le temps dans la vie.

— Vous avez peut-être raison. Vous venez de dire qu'il vous avait laissé un peu d'argent. Qu'est-il arrivé?

8

— Il avait fait de mauvais placements, répondit-elle. Il est mort d'une tumeur au cerveau qui avait peut-être affecté son jugement, bien longtemps avant d'être décelée. A la fin, il avait presque tout perdu. Il a dû être content de s'en aller, je pense.

— Alors, vous avez recherché votre frère et vous êtes arrivée ici. Et après ? demanda Cal Garrard sans autre commentaire.

— Que voulez-vous dire ?

— Ceci. Vous l'avez trouvé, vous espérez le retrouver tel qu'il était autrefois. Mais s'il a changé ? C'est long, trois ans. Vous ne savez même pas s'il désire renouer avec sa petite sœur.

Les joues de Regan rougirent.

— Il ne changerait pas aussi radicalement. Il est seulement plus âgé, mais moi aussi.

— Et plus sage ? Ce voyage saugrenu ne va pas l'en convaincre. Vous auriez dû d'abord lui écrire.

— Cela m'est venu à l'idée, mais une lettre de ce genre n'était pas facile à rédiger.

Il eut un rire sec.

— Et ce voyage est plus facile ? Vous êtes vraiment une belle écervelée ! Folle, mais gentille tout de même !

Elle fit un mouvement pour se lever.

— Merci, merci beaucoup. Votre opinion m'importe peu, monsieur Garrard ! Je trouverai d'autres moyens de me rendre à Fort Lester.

— Asseyez-vous. Voici nos verres.

— Buvez-les vous-même !

Il se leva sans se presser, la repoussa sur la banquette et s'assit à son côté. Le garçon leur servait à boire, et Regan ne pouvait rien faire sans risquer de déclencher une scène. De près, Cal Garrard lui semblait encore plus grand. Sa main, posée sur l'épaule de Regan, était vigoureuse.

Une fois seuls de nouveau, il lui dit .

9

— Ne vous mettez pas en colère, Miss! Je n'ai pas refusé de vous emmener. Si vous vous emportez ainsi tout le temps, vous allez trouver la vie difficile.

Regan résista à la tentation de le remettre à sa place : elle avait besoin de lui ; il lui faudrait attendre plusieurs jours s'il ne l'acceptait pas comme passagère.

— Naturellement, je vous paierai, déclara-t-elle d'un air guindé.

Il fit non de la tête.

— Il n'en est pas question. Je vais...

— J'insiste, monsieur Garrard. Je ne veux pas de charité.

— Vous n'avez jamais appris à accepter un refus, n'est-ce pas ? Comme je le disais, je vais moi-même dans cette direction. Une passagère ne fera pas beaucoup de différence.

Regan était devenue écarlate.

— Je voulais seulement dire...

— Je sais ce que vous voulez dire, interrompit-il. N'en parlons plus. J'ai un petit hydravion au lac. Pouvez-vous être prête à huit heures ?

— Bien sûr, répliqua-t-elle, en ajoutant un peu tardivement... et merci.

— J'ai dit, n'en parlons plus. Au revoir ; à huit heures demain matin. Et habillez-vous chaudement.

Regan le regarda partir. Il l'avait remise à sa place. Elle l'avait cherché en partie, sans doute, mais lui aussi... il y avait quelque chose d'agaçant chez lui. Jamais elle n'avait rencontré un homme semblable. Il était presque trop viril.

Fort Lester était à plus de six cents kilomètres de Prinee George. Elle ne connaissait pas la vitesse de pointe de l'appareil, mais ils y parviendraient certainement en quatre heures de vol, c'est-à-dire dans le courant de l'après-midi. Elle pouvait bien le tolérer pendant quatre heures.

Laissant le Cinzano qu'il lui avait commandé, et dont elle n'avait pas envie, elle alla remercier le concierge de son aide précieuse.

Une fois dans sa chambre, elle prépara pour le lendemain matin son pantalon le plus chaud et un pull-over épais. Elle décida de mettre les chaussures de marche qu'elle portait à la campagne en Angleterre. Quant à son blouson acheté à Vancouver, il était, par pure coïncidence, du même écossais que la veste de Cal Garrard. Elle s'imagina sa réaction lorsqu'il la verrait. Eh bien, il pouvait bien rire, il n'avait pas le monopole de ce dessin rouge et noir !

La nuit était tombée, à présent. Elle se réjouissait d'avoir le chauffage central. Elle avait lu quelque part qu'ici, dans le nord du pays, le thermomètre descendait parfois jusqu'à zéro la nuit, même au printemps. Il faudrait un mois ou plus avant l'arrivée d'un temps estival, mais, dans ces forêts du nord de la Colombie britannique il ne faisait jamais très chaud en plein été. Regan se demanda comment son frère réagissait au climat, lui qui avait tellement aimé la chaleur, le soleil, la piscine, l'année où son père avait loué une maison dans le comté de Kent en juillet. Après cela, Ben s'était élevé contre ce genre de vie trop luxueuse et les avait quittés trois ans plus tard.

Elle se rappelait la scène de rupture. Jamais plus son nom ne fut prononcé à la maison, selon les instructions de son père, toujours fanatiquement absorbé par son travail.

Et ce Cal Garrard était-il de la même trempe ? Il dirigeait une importante entreprise de la Province qui possédait une concession de coupe d'un million d'hectares, dans une forêt appartenant à la Couronne, tout comme la plupart des forêts de Colombie britannique. Sans rien connaître de ce qui concernait une telle exploitation, elle devinait que ses bénéfices devaient

11

être considérables. Dès que le barrage hydro-électrique de Keele fonctionnerait, toute la région deviendrait une mine d'or.

Cal Garrard, se disait Regan, n'avait ni l'apparence ni l'attitude d'un homme fortuné, mais il devait aimer dominer les autres. Il devait être sans pitié en affaires, comme l'avait été le père de la jeune fille. Elle n'aimait pas être son obligée, mais mieux valait profiter du voyage, car ses ressources étaient modestes.

Elle descendit de bonne heure dans le hall, espérant qu'il ne l'avait pas oubliée. Il la rejoignit à huit heures moins cinq. Sans un mot, il prit sa valise et la mit avec la sienne dans le coffre de la voiture qui les attendait devant la porte de l'hôtel.

En quittant la ville, ils suivirent la rivière Frazer. Le soleil se cachait derrière des nuages gris et assombrissait le paysage forestier. Les montagnes étaient recouvertes de neige sur leurs cimes, une neige sans doute éternelle à cette altitude.

— Le temps n'est pas idéal pour voler, observa-t-elle pour rompre le silence.

— J'ai vu pire. Avez-vous froid ?

— Plus maintenant, avec le chauffage. Mais il faisait plus chaud qu'ici à Vancouver.

— C'est généralement ainsi. L'été ne commence qu'au mois de juin, et, au mois de novembre, c'est déjà l'hiver. La côte Pacifique est tempérée par l'air chaud de l'océan, et les saisons sont moins marquées.

— Etes-vous originaire de la côte ? demanda Regan.

— De l'Ile de Vancouver. Kenny's Bay.

— Kenny's ? Pas Garrard ? lança-t-elle ironiquement.

Mon grand-père n'a pas changé le nom quand il l'a achetée. Vous cherchez noise à tout le monde, ma parole ! ajouta-t-il avec un sourire sardonique.

12

— Que voulez-vous dire ?

— Cessez vos coups de patte, ou je vous donne la fessée !

— Comment osez-vous... oh, je déteste des hommes comme vous !

— Grâce à votre père, vous n'en avez jamais connu ! Relaxez-vous, je ne vais pas vous battre. Vous m'avez demandé de venir dans mon avion. Alors, voulez-vous retrouver votre frère, oui ou non ?

— Oui, bien sûr, fit-elle d'une petite voix.

— Et bien, taisez-vous une fois pour toutes !

Les paroles de Cal Garrard l'avaient piquée au vif. Comment osait-il lui parler de la sorte ? Il la prenait pour une petite fille, elle qui avait vingt ans ! Il était autoritaire, arrogant, et Regan brûlait d'envie de protester, mais elle ne trouva rien à répondre.

Le lac était gris, sa surface agitée. Sur la rive nord se trouvaient quelques cabanes, et l'avion, un Cessna jaune à quatre places, avec des lettres d'identification noires sur le fuselage, était au bout de l'appontement.

Cal laissa la voiture à un employé et porta lui-même les deux valises dans l'avion. Puis il fit monter Regan et attacha sa ceinture. Il y avait un casque de radio pour le pilote, mais il ne le mit pas. Il vérifia les instruments avec soin et, tout à sa tâche, il mit le moteur en route. C'est l'attention que l'on prête aux petits détails qui garantit le succès, disait le père de Regan lorsqu'il parlait d'affaires avec elle. Cal Garrard était de toute évidence un homme de cette trempe-là.

Le temps était toujours brumeux ; Regan se sentit inquiète lorsque l'appareil se mit à avancer sur les flots. Elle sentit l'avion se redresser sur ses flotteurs, puis dans une gerbe d'eau il s'éleva, mettant le cap vers la crête nord des montagnes recouvertes d'épaisses forêts.

Jusqu'à présent Regan avait voyagé dans de gros avions de ligne, au-dessus de paysages bien monotones, mais là, à 900 mètres d'altitude, tout était nouveau et plein d'intérêt.

Une grande partie de la Colombie britannique était encore sauvage, composée de rivières et de lacs, de forêts et de montagnes, habitée simplement par des animaux, des oiseaux. La solitude du pays était évidente, et un avion qui se poserait là pourrait être perdu à jamais. Modifiant le cours de ses pensées, Regan se rassura. Cal Garrard était un pilote compétent, il connaissait la région. Ils n'allaient pas atterrir dans cette immense forêt.

Pendant les deux premières heures il parla peu, comme s'il avait oublié sa présence à bord. Avec colère Regan se rappela de ses paroles dans la voiture. Ce n'était pas seulement son insupportable suffisance, il y avait autre chose chez cet homme qu'elle ne pouvait pas... ou ne voulait pas... définir. Il n'avait que dix ans de plus qu'elle ; il n'avait pas le droit de la traiter comme une enfant. Peut-être les femmes se faisaient-elles traiter toutes ainsi au Canada, comme des enfants qu'il fallait mâter. De toute façon, une fois à Fort Lester elle ne le verrait plus.

Fort Lester : la fin du voyage. Les rêves de Regan s'étaient toujours arrêtés à ses retrouvailles avec Ben. Et après ? Elle pourrait chercher du travail à Fort Lester et attendre la fin de la construction du barrage. Voudra-t-il retourner en Angleterre avec elle ? Ben n'aura pas changé, se répétait-elle. Du vivant de leur père, il n'aurait pas essayé d'entrer en contact avec elle. Mais maintenant, tout était différent.

Cal Garrard interrompit sa rêverie.

— Il y a un thermos de café et des sandwiches dans ce sac. Voulez-vous m'en verser une tasse ?

Regan acquiesça, puis se servit également. Des sandwiches au poulet et au jambon ! Elle ne s'était pas rendu compte de sa faim avant de les voir.

14

— Merci. A quelle heure arriverons-nous à Fort Lester ?

— D'ici une heure, si le vent ne se lève pas. Il y a peut-être du mauvais temps devant nous ; nous allons nous trouver dans les nuages. Je ferai de mon mieux, mais il y aura des trous d'air. Tenez bon !

Regan sourit d'un air qu'elle voulait tranquille.

— Nous aurions dû attendre avant de prendre le café !

— Est-ce la première fois que vous montez dans un petit avion ?

— Oui. C'est très différent des avions de ligne.

— Au moins vous ne parlez pas tout le temps pour cacher votre agitation !

— Je ne suis pas agitée, monsieur Garrard. Vous semblez être un pilote chevronné.

— Vous voilà encore, fit-il.

— Excusez-moi, répondit Regan, surprise. Qu'ai-je encore dit ?

— Ce n'est pas ce que vous dites, mais votre façon de le dire. Vous vous moquez de moi ! Je *suis* chevronné, rassurez-vous, mademoiselle Ferris !

— N'êtes-vous pas un peu susceptible ?

— Pas en ce qui vous concerne. Quelque chose en moi vous agace, c'est évident. Est-ce que je vous fais penser à quelqu'un ?

— Pas du tout, assura-t-elle sincèrement. A personne.

— Alors c'est moi. Ce que je suis vous irrite, railla-t-il. Préférez-vous les ratés ?

— Tout ceci est ridicule, répondit-elle avec froideur. Je ne m'intéresse pas du tout à ce que vous faites.

— Vous mentez, et vous mentez mal. C'était visible à votre expression, lorsque vous m'avez abordé hier soir.

— Ce n'est pas vrai ! En ce cas, pourquoi avoir accepté de m'emmener ?

— Parce que javais un désir violent de vous rabaisser le caquet... je n'ai pas réussi, il me semble... ou pas encore !

Regan luttait pour ne pas se mettre en colère.

— Et vous n'aurez pas l'occasion... à moins que vous ne soyiez propriétaire de la ville aussi !

— Pas de toute la ville, mademoiselle, mais d'une part assez importante pour que vous entendiez mon nom. Oh, pour l'amour du ciel, ne continuez pas à le haïr tout le temps !

— Mais je ne le haïssais pas, protesta Regan, sans lui demander de qui il parlait.

— Je pense que si. J'en suis sûr. Vous auriez dû partir dès que vous étiez en âge de le faire, ne serait-ce que pour votre amour-propre. Vous êtes restée avec lui parce que vous avez peur de vivre à la dure comme le fait votre frère. Et maintenant vous cherchez votre frère, pour faire un retour en arrière.

— Puisque vous êtes tellement intelligent, fit Regan après avoir fait une pause, dites-moi : quel rapport avec vous ?

— Très simple. Vous avez fait votre petite enquête sur moi. L'Entreprise Garrard est importante, c'est un succès. Cela me rapproche de votre père. Mais un sens des affaires n'implique pas nécessairement un manque de cœur, vous savez !

— Je pense que si. On ne saurait faire une omelette sans casser des œufs.

— Arrêtez de citer votre père ! Vous avez subi sa loi, mais maintenant personne ne peut plus vous dire ce que vous avez à faire.

— C'est vrai, riposta Regan, et vous moins que personne ! Pilotez donc votre avion ! Je n'écoute plus rien.

Il se tut. Regan avait la sensation de s'être mal conduite. Il n'y a que la vérité qui blesse, se dit-elle. Son

16

père lui avait dicté ses pensées, ses ambitions, jusqu'à sa façon de se comporter et de s'habiller. Par manque de volonté, elle n'avait pas osé s'opposer à lui. Maintenant, et pour la première fois de sa vie elle était libre ! L'argent ne lui avait apporté que des désillusions, jamais le bonheur. Tout ce qui lui importait était de retrouver Ben et de reconstituer une vie de famille !

Comme Cal l'avait prévu, le temps s'était détérioré et les gros nuages interdisaient à l'avion de monter au-dessus de cinq cents mètres. Malgré l'habileté du pilote, l'appareil était ballotté par le vent. Ils semblaient effleurer les cimes des arbres. Vers l'ouest se profilaient des pics, et droit devant eux, de hauts sommets escarpés avec, au premier plan, un lac entouré de forêts sur des kilomètres. Aucun signe de vie à la ronde, rien que la solitude des grands sapins.

Une averse estompa les contours des montagnes. Le monde au-dessous d'eux devint uniformément gris. Regan fut tentée de s'adresser à l'homme au profil sévère qui était à ses côtés, mais elle se ravisa. Ils n'étaient pas en danger ! La pluie ne pouvait pas leur nuire !

Subitement, le moteur s'étouffa et les pales de l'hélice s'arrêtèrent. On n'entendait plus que le bruit de la pluie et du vent. Cal lui cria quelque chose lorsque l'avion amorça une descente vers la forêt. Elle était pétrifiée de peur. Devant eux, elle distingua une étendue d'eau grise assombrie par des nuages fuyants. Cal essayait de maintenir l'avion en l'air, mais Regan eut la certitude qu'il n'y parviendrait pas.

2

Après cela, Regan ne se souvint de rien sinon de la sensation de chute libre, comme dans un ascenseur rapide, et du bruit terrifiant d'arrachement du métal... mais le choc lui-même, elle ne s'en rappelait pas. Elle se retrouva, toujours attachée par sa ceinture de sécurité, dans la carlingue basculée vers l'avant. Une odeur d'essence flottait dans l'air.

— Dehors, vite ! L'avion risque de sauter ! lança Cal en la détachant et la précipitant hors de l'appareil par un trou béant sur le côté.

Regan obéit immédiatement. Elle eut la vision fugace de Cal retirant un sac de l'intérieur de l'avion, puis au moment où il s'éloigna de l'appareil, il y eut une explosion violente qui le projeta à terre. Des flammes embrasaient l'avion, et mirent le feu à l'arbre dans lequel il était logé. Les broussailles s'enflammèrent à leur tour. Avec reconnaissance elle vit Cal se lever et venir vers elle. Sans lui, elle eut été seule dans la forêt... Par la suite, cette pensée égoïste lui fît honte.

Lorsque la fumée noire se fut éteinte, ils purent voir, à travers les arbres de la clairière, le petit lac où Cal aurait pu poser l'appareil si les flotteurs n'avaient pas accroché le faîte d'un arbre. Les branches avaient amorti le choc, remarqua-t-elle, reconnaissante. A part quelques égratignures et des bleus, ils étaient tous deux indemnes.

La pluie avait évité l'incendie de forêt. Elle ne remarqua ni le froid ni l'humidité. Quel soulagement c'était de se retrouver sains et saufs !

Cal construisit un abri contre les intempéries, utilisant une couverture sauvée de l'avion. Blottie contre lui, Regan scruta le pays humide et essaya de ne pas paniquer. L'accident était arrivé tellement vite que Cal n'avait pas pu faire d'appel radio avant cet atterrissage brutal.

— Pourquoi le moteur s'est-il arrêté ? demanda-t-elle d'une voix tremblante.

— Une obstruction du tuyau d'alimentation en essence, je pense.

Il regarda Regan, remarquant sa pâleur sous les taches d'huile.

— Vous sentez-vous mal ?

— Un peu, admit-elle, j'ai des frissons.

— C'est le choc. Il faut tenir bon, nous n'avons pas de médicaments ici !

Il avait raison, bien entendu, mais Regan trouva sa remarque un peu sèche. Elle essaya néanmoins de se remettre. Après tout, il avait subi le même choc qu'elle.

— Qu'allons-nous faire ? fit-elle, faut-il attendre que l'on vienne nous chercher ?

— Personne ne viendra, personne ne s'inquiétera de nous avant bien longtemps.

— Mais pourquoi ? Vous étiez attendu à Fort Lester et...

— Pas à un jour près, expliqua-t-il. Je n'avais pas annoncé le jour de mon départ, et avant trois ou quatre jours personne n'entreprendra de recherches.

— Alors, que faut-il faire ?

— Nous n'avons pas tellement de choix. Partir à pied !

20

— A quelle distance de Fort Lester sommes-nous, demanda-t-elle dans un petit frisson.

— Oh, soixante-dix ou quatre-vingts kilomètres. Il faut compter trois jours de marche dans une région comme celle-ci.

— Trois jours ! Nous n'avons rien à manger. Comment pourrons-nous marcher pendant trois jours sans nourriture ?

Cal montra le baluchon à ses pieds.

— Il y a un fusil de chasse et des cartouches, deux couvertures, un couteau, et de quoi faire du feu. Nous survivrons. J'avais toujours du matériel de camping dans l'avion, en cas de besoin. Malheureusement, je n'ai rien pu sauver de plus.

Il avait pris un gros risque, pensa-t-elle. Il aurait pu être tué par l'explosion.

— Et comment allez-vous faire du feu ? En frottant deux branches ensemble, peut-être ?

— Non, plus simplement avec mon briquet. Je le garde toujours sur moi. Vous voyez, j'étais prêt à toute éventualité.

— Quelle perspicacité ! lança Regan d'un ton sec.

Cal la prit par les épaules et la secoua fermement.

— Cela suffit. Vous êtes en état de choc, c'est entendu, mais il faut réagir ! Nous sommes en vie, et nous y parviendrons, dussé-je vous traîner derrière moi jusqu'à Fort Lester ! Avez-vous compris ?

Regan observa ses traits durs, et sentit en elle une étrange émotion.

— Oui ! riposta-t-elle rageusement, c'est très clair... et enlevez vos mains de mes épaules, je vous prie.

Les yeux gris de Cal la foudroyaient.

— Vos forces vous reviennent au galop ! Il nous faudra être plus proches l'un de l'autre avant la fin de cette aventure !

— A mon corps défendant !

— Comme vous voudrez. Mais à cette époque de l'année il gèle toute la nuit, ou presque. Il va falloir conserver toute la chaleur du corps possible.

Elle tressaillit, et sans le regarder répondit :

— Nous n'allons pas nous en sortir, n'est-ce pas ?

— Il y a fort à parier que si ! Dès que la pluie s'arrêtera, j'allumerai un feu. Comme cela, nous pourrons nous sécher. Quelle heure est-il ? Ma montre est cassée.

A l'étonnement de Regan, sa montre marchait encore ; il n'était que trois heures de l'après-midi. On aurait dit qu'il s'était écoulé des jours et des jours depuis le décollage !

Peu après, la pluie s'arrêta et un rayon de soleil faiblard réchauffa légèrement l'atmosphère. Le lac n'était pas très grand, il avait seize cents mètres de long environ et quatre cents mètres de large. Cal trouva du bois sec à proximité pour faire un feu, et il mit la couverture à sécher.

— Enlevez vos vêtements humides, ordonna-t-il. Il ne faut pas prendre froid. Heureusement que vous avez un blouson en mackinaw : même mouillée, la laine retient la chaleur.

— Je pensais que mon blouson vous ferait rire, admit Regan. Je ne suis pas canadienne et...

— Je serais idiot de penser que seuls les canadiens ont droit à des vêtements pratiques. Votre jean, est-il mouillé ?

— Un peu humide seulement, répliqua-t-elle avec empressement.

Elle n'osait pas le regarder en face. Ils étaient à soixante-dix kilomètres de tout lieu habité, il leur fallait trois jours de marche pour y arriver... c'était fou.

Cal la laissa à côté du feu et retourna examiner l'épave de l'avion. A son retour, il portait un réservoir d'eau, un plat en métal et une boîte contenant des hameçons et deux collets à gibier.

— Mon nécessaire de survie, expliqua-t-il. Vous verrez, nous vivrons comme des princes !

— C'est tout ce qui reste dans l'avion ? s'informa Regan ?

— Il n'y a plus rien. Il y a eu un retour de flammes au moment de l'exlosion.

Regan avait tout perdu, sauf ce qu'elle portait sur elle... Plus de passeport, plus d'argent, plus rien.

Cal brisa quelques branches pour le feu. Le soleil couchant éclairait la surface du lac d'une lumière nacrée et projetait des ombres épaisses sur les rives. Dans le crépuscule, Cal paraissait gigantesque. Ils étaient seuls, tous les deux, et pour Regan c'était un étranger. Quel genre d'homme était-ce ?

Avec appréhension elle lui demanda :

— Partons-nous maintenant ? Nos affaires sont à peu près sèches ?

— Non, pas ce soir, il est trop tard. Nous allons bivouaquer ici et nous partirons de bonne heure demain matin.

Le coup d'œil de Regan dut trahir son appréhension, car l'expression de Cal devint plus dure.

— Ne vous en faites pas. Vous ne risquez rien. J'ai d'autres problèmes en tête en ce moment. Tout ce que je demande d'une gosse comme vous, c'est de la coopération. Faites ce que je vous dis et tout ira bien !

— Et comment comptez-vous trouver le chemin ? Je ne vois pas de panneaux, fit-elle avec une ironie involontaire.

— La rivière qui alimente ce lac s'appelle l'Ender. La rivière Keele la rejoint de l'autre côté de la crête que vous voyez là-bas. La meilleure solution pour nous est de la suivre jusqu'au barrage, évitant ainsi de traverser le pays jusqu'à Fort Lester.

— Voulez-vous dire que nous sommes plus près du barrage que de la ville?

— Non, c'est à peu près la même chose, mais c'est en ligne directe. Je ne pouvais pas passer par-dessus ces montagnes là-bas en avion, c'est pourquoi j'ai suivi les vallées tout du long.

— Mais vous disposez de matériel pour vous diriger.

— Pas vraiment. Ecoutez, il faut me croire sur parole, c'est cela qu'il nous faut faire.

— Pardon, je ne comprenais pas; je suis... je suis toute perdue!

— Cela ira mieux après une bonne nuit de sommeil.

Mais allaient-ils pouvoir dormir? Déjà l'air devenait vif à l'approche de la nuit. Regan tendit sa main vers son blouson.

— Non, dit Cal, attendez qu'il fasse plus frais, vous l'apprécierez davantage.

Il se leva et prit le fusil.

— Ne laissez pas le feu s'éteindre, il nous faudra de la braise. Je reviens dès que possible.

— Et je dois rester ici toute seule, n'est-ce pas? S'il se passe quelque chose...

— Vous ne risquez rien à côté du feu, il nous faut absolument de la nourriture.

— Il doit y avoir du poisson dans le lac.

— Bien sûr. Le poisson est bon si l'on n'a rien d'autre, mais il nous faut plus de calories pour avoir de l'énergie. Alors, restez ici, un point, c'est tout!

Regan n'avait nullement l'intention de s'éloigner. Les hommes avaient naturellement plus de ressort dans une situation pareille. Surtout un homme comme Cal, habitué à la vie rude du pays. Il n'avait pas peur de la forêt, lui; mais ne comprenait-il pas qu'elle puisse craindre de s'y trouver seule? Il devait y avoir des ours, surtout des grizzlis, qui émergeaient de l'hibernation à cette époque. Comment pouvait-il la laisser sans protection, se dit-elle.

Cal fut de retour à la nuit tombante. Il portait un oiseau.

— Je vous ai dit que nous allions avoir besoin de braise. N'écoutez-vous jamais ce que je dis ? Je ne peux pas rôtir cette bête sur des charbons ardents sans la brûler !

Pour l'instant, Regan s'en moquait. Elle avait eu peur des bruits étranges de la forêt pendant son absence et du mouvement de l'eau devant elle. Même les ombres semblaient menaçantes.

— Je n'ai pas faim, répondit-elle.

— Moi, si, et vous mangerez, même si je dois vous nourrir de force ! Et puis, cessez de prendre cet air pitoyable !

— Vous m'avez laissée seule, maintenant vous me dites que j'ai l'air pitoyable !

— Ecoutez, lança-t-il, il faut y mettre du vôtre si vous voulez sortir d'ici ! Vous vous conduisez comme une enfant de dix ans ! Vous avez survécu à l'accident, c'est déjà énorme. Alors, un peu de cran !

Comme elle le détestait en ce moment ! Du cran, avait-il dit ? Elle lui montrerait de quoi elle était capable.

— Entendu. Je ne vous gênerai plus.

— Alors, allez chercher les branches de sapin que j'ai coupées, elles sont sur la rive là-bas. Allez-y avant la tombée de la nuit, il n'y aura pas de lune ce soir.

Rageusement elle tirait sur les branches pour les empiler à côté du feu. Cal avait déjà plumé l'oiseau, qu'il embrochait sur un morceau de bois. Posé devant la braise, la petite carcasse commençait à grésiller. De temps en temps Cal la retournait, absorbé par sa tâche. Il semblait à Regan que, sans elle, il aurait été parfaitement heureux. De toute évidence il avait l'habitude de camper, tandis qu'elle n'y connaissait rien. Quoi qu'elle fasse, elle ralentirait leur marche. N'avait-il pas eu raison de la secouer tout à l'heure?

Le gibier avait bon goût.

— Ce n'est pas la saison pour les coqs de bruyère, murmura-t-elle, sans malice.

Derrière eux, la forêt embaumait, l'eau du lac clapotait à leurs pieds. Le ciel éclairé par des milliers d'étoiles, était presque sans nuages. Il n'y avait que le froid pour rappeler Regan à la réalité de leur situation précaire.

Cal rechargeait le feu et construisit une couche rudimentaire à l'aide des branches de sapin apportées par Regan, qu'il recouvrit des deux couvertures. Elle le regardait, se rendant compte de ce qu'il attendait d'elle, incapable de bouger.

— C'est prêt, fit-il d'un ton las, ne m'obligez pas à venir vous chercher! Je pensais que nous avions réglé cette question une fois pour toutes!

— Non, je préfère coucher seule ici. Il y a deux couvertures, n'est-ce pas?

— Oui, il y en a deux, mais même avec le feu, une couverture ne serait pas assez. Il fait froid à l'heure actuelle, et il fera encore plus froid cette nuit. Vous n'avez même pas l'habitude de coucher à la belle étoile. Allez, je vous donne trois secondes, déclara Cal sèchement.

Elle se leva et s'installa sur les branches de sapin, sans le regarder.

— Tournez-vous sur le côté, ordonna-t-il.

Regan le sentait arranger la couverture et la border lorsqu'il s'allongea à son tour, un bras autour de sa taille la serrant contre lui, son souffle chaud sur sa nuque.

— Du calme: votre cœur bat à se rompre! remarqua-t-il sardoniquement.

Ce n'est pas facile, pensa Regan. Son corps gelé se

réchauffa petit à petit, et elle dut admettre qu'il avait raison. Mais de se trouver dans cette situation avec un homme qu'elle connaissait à peine l'embarrassait.

— Ecoutez, soupira Cal, je suis fatigué, et demain ce sera dur. Tout ce que je voudrais, c'est dormir. Mais si vous devez rester comme cela toute la nuit, en attendant que j'abuse de la situation, allons-y tout de suite !

Il la tira sur le dos et l'embrassa sans la laisser protester.

— Voilà qui est fait. J'ai abusé de la situation. Puis-je dormir maintenant ?

Regan se pelotonna en silence, en lui tournant le dos. Ses lèvres brûlaient, mais Cal n'était certainement pas ému de leur baiser. Au lieu de la réconforter, cette pensée lui fit l'effet d'une gifle.

3

Réveillée la première par la lumière grise de l'aube, Regan se sentit courbaturée. Tous ses membres lui faisaient mal. Elle essaya de se soustraire au bras musclé de Cal, mais il la serra davantage.

— Dallas, murmura-t-il.

Puis ouvrant ses yeux gris, il regarda Regan d'un air déconcerté, avant de revenir à la réalité.

— Confortable ? demanda-t-il, avez-vous bien dormi ?

Regan se redressa sans lui répondre, consciente à nouveau de ses courbatures. La brume voilait les arbres de longues traînées humides et froides. Elle eut un frisson.

— Il va faire beau, la brume disparaîtra au lever du soleil, déclara Cal. Je vais allumer le feu, ensuite j'irai inspecter mes collets. Quel dommage que nous n'ayons pas de café ! Je boirais bien quelque chose de chaud.

— Il y a de l'eau, c'est mieux que rien, suggéra Regan, en imitant son attitude pratique.

— Oh, nous pourrons peut-être faire mieux que cela, avec un peu de chance.

En un rien de temps le feu crépitait et de l'eau chauffait dans le plat en métal. Regan eut honte de laisser Cal tout faire, mais elle se sentait déprimée. Les suites du choc peut-être ? De toute façon elle n'avait pas l'intention de bouger.

Il revint du sous-bois, un lièvre à la main et une bonne livre de champignons noués dans son foulard. Regan espéra qu'il s'y connaissait en champignons. Cuits à l'eau, ils constituaient un petit déjeuner original. Ils n'avaient pas le temps pour faire cuire le lièvre. Ils le garderaient pour le dîner, expliqua Cal. Il ne parlait pas du repas de midi : sans doute il faudrait avancer le plus possible pendant la journée. Soixante-dix kilomètres en trois jours ! Regan se demanda si elle pourrait marcher du même pas que lui.

Elle se lava le visage et les mains dans l'eau glacée du lac. Une forme mince et brune fendit la surface de l'eau non loin d'elle et sauta sur la berge en direction de la forêt. Un castor, pensa-t-elle, l'emblème national du Canada. Quelque chose d'autre bougea derrière les arbres, mais Regan évita de se demander s'il s'agissait d'un gros animal.

Empoignant le balluchon, Cal portait son fusil en bandoulière.

— Prête ?

Regan hocha la tête. Elle ne devait pas penser à ce qui les attendait. Cal connaissait le pays, il allait les sortir de cette mauvaise passe, il le fallait !

Ils suivirent la rive du lac vers le nord où débouchait la rivière. Les sommets des montagnes se profilaient sur un ciel bleu pervenche, leurs versants recouverts de verdure se reflétaient dans l'eau du lac comme dans un miroir d'argent. La beauté de ce paysage était émouvante, mais elle regretta que les circonstances fussent aussi pénibles.

Ils ne parcoururent que sept kilomètres dans la matinée, faisant une courte halte toutes les heures. Leur chemin était pénible, malgré les pistes de gibier qu'ils empruntaient de temps à autre. Il y avait des ravins à contourner le long de la rivière, et il leur arriva de devoir faire un grand détour par une crête boisée pour retrouver le cours d'eau de l'autre côté. Cal semblait savoir où ils allaient, Regan le suivait.

Malgré les difficultés qu'ils rencontraient en chemin, Regan eut le loisir de remarquer la présence des habitants de la forêt. Il y avait des volées d'oiseaux. De temps en temps un écureuil sautait d'une branche à l'autre. Un porc-épic traversa leur chemin avec une tranquille assurance.

— Y a-t-il des ours dans la région... des grizzlis ? demanda-t-elle.

— Des grizzlis, des noirs... ce sont tous des ours ! Bien sûr ! Il y en a partout dans ces forêts.

— Et vous avez laissé éteindre le feu hier soir ! Ils auraient pu venir !

Cal eut un mince sourire.

— Vous pensez que j'aurais dû monter la garde toute la nuit, le fusil prêt à tirer ? Premièrement, je ne peux pas rester éveillé la nuit et marcher la journée. Deuxiè-mement, si un ours nous avait flairés, il ne nous aurait rien fait. Nous n'étions pas sur son territoire, il n'y avait pas d'empreintes près du campement. Et les ours n'attaquent jamais à moins qu'ils ne soient pris par surprise. Au fait, pourquoi cette question ?

— Je pensais en avoir vu ce matin, là-bas près du lac.

— En quelle direction ?

— Vers... vers le sud, je crois.

— Il n'y avait pas de danger, vous étiez à contre-vent. N'y pensez plus ! Nous faisons bien trop de bruit pour tomber dessus accidentellement.

Regan pensait qu'il y avait certainement du vrai dans ce que disait Cal, mais elle était toujours inquiète et elle ne cessait de regarder en arrière par-dessus son épaule.

La prédiction de Cal se réalisa ; à présent le soleil réchauffait l'atmosphère. Comparé à la nuit précédente, il faisait chaud. A midi ils mangèrent les restes du coq de bruyère qu'ils avaient enveloppés dans une grande feuille ressemblant à de l'oseille sauvage. Regan rongeait les os, en regrettant la frugalité du repas. Elle était déjà fatiguée, elle avait mal aux jambes et avait une ampoule au talon causée par le frottement de sa chaussure. Elle manquait de courage pour se lever et continuer cette marche ardue, lorsque Cal donna le signal du départ.

— Il n'y a rien d'autre à faire, il faut continuer.

— C'est facile à dire, fit Regan d'un air froissé. Vous, vous avez l'habitude de ce pays. Vous vous moquez de ce que j'éprouve.

— Je n'ose pas y penser. Allons, partons.

— Mais je suis fatiguée. Il me faut un peu plus de repos ; je partirai quand je serai disposée à le faire.

Il la mit sur pied brusquement, d'un air méprisant, ses doigts enfoncés douloureusement dans la chair de ses bras.

— Vous partirez lorsque je vous en donnerai l'ordre ! Et vite. Quelques courbatures ne vous empêcheront pas de marcher. En voilà assez de vos gémissements !

Regan faillit tomber quand il la lâcha ; elle avait des larmes de colère aux yeux.

— Je vous méprise, je vous hais ! lança-t-elle.

— Cela m'est égal. Lorsque nous nous serons tirés d'affaire, vous serez peut-être un peu plus adulte : pour l'instant vous vous conduisez en enfant.

Regan ravala sa réplique. A quoi bon ? De toute façon, il avait raison, elle se conduisait de manière puérile : à elle la faute s'il la traitait comme une petite fille. Elle serra les dents et le suivit. Cal avançait, et ne regardait pas en arrière.

Au cours de la journée, l'ampoule au talon lui fit de plus en plus mal. Regan posait le pied par terre avec angoisse à chaque pas. Pliant son mouchoir en quatre à la dérobée, elle le glissa à l'intérieur de sa chaussure, ce qui réduisit le frottement du cuir mais exerça une pression sur la partie endolorie. Elle masqua sa gêne lorsque Cal lui jeta un regard.

S'il avait remarqué, il n'en dit rien. Il avait peu parlé depuis le déjeuner. Le lièvre qu'il avait pris au collet était ficelé au balluchon, ses longues oreilles flasques... et pathétiques, pensait Regan. Ils avaient besoin du gibier pour survivre, mais malgré cela elle regrettait d'avoir à le tuer. On devrait chasser ceux qui chassent pour le plaisir, pensa-t-elle... y compris Cal Garrard. Il avait certainement emporté le fusil avec lui dans cette intention.

La forêt résonnait de bruits lorsqu'elle y prêta l'oreille, mais de loin tout semblait plutôt silencieux. Les arbres avaient l'air de toucher le ciel, de hautes futaies attendaient le bûcheron. Peut-être la vallée était-elle encore inaccessible pour transporter des billes de bois, mais le barrage de Keele viendrait tout modifier. L'électricité une fois installée, il serait certainement rentable de construire une route à travers la forêt. Cette vallée représentait à elle toute seule des centaines de milliers de dollars de bois de coupe.

Quels changements le barrage allait-il apporter à une petite ville comme Fort Lester ? Avec l'introduction de l'électricité à bon marché, sans doute deviendrait-elle une région industrielle : il y aurait des scieries, des usines de pâte à papier, et bien d'autres encore. La population s'accroîtrait avec l'arrivée d'ouvriers, de bûcherons et de leurs familles, il y aurait de nouveaux magasins, des logements, de l'embauche. Un grand projet, il y avait sans conteste de la place pour l'expansion industrielle dans ce vaste pays.

En fin d'après-midi Regan traînait la jambe en dépit de ses efforts pour oublier sa douleur au talon. Son corps lui semblait lourd, son cerveau vide. A mesure que le soleil déclinait, le froid s'accroissait, laissant présager une nuit glaciale. On était simplement au début du mois de mai, il gèlerait peut-être. Regan s'était bien renseignée sur la région qu'elle allait traverser, sans se demander si son voyage était prudent à cette époque de l'année. Mais elle n'avait pas pensé se heurter à de telles difficultés dans un pays où le chauffage central était connu depuis longtemps déjà.

Ils installèrent leur camp dans un petit ravin qui les protégeait un peu du froid mordant. Cal alluma un feu, puis partit poser ses collets pour ne revenir qu'à la nuit tombée, deux poissons au bout d'une corde.

— J'ai saisi l'occasion pendant qu'il faisait encore jour. Nous allons faire cuire le lièvre également. Aussi il restera quelque chose pour demain. Tout va bien ?

Regan était repliée sur elle-même près du feu, les flammes éclairaient ses traits tirés.

— Oh, à peu près. Pouvons-nous faire du feu toute la nuit ? Nous le veillerons à tour de rôle.

— Cela ne sera sans doute pas nécessaire. J'ai trouvé une espèce de caverne. Ce n'est pas formidable, mais c'est sec, il y fera plus chaud qu'ici.

— La tanière d'un ours, probablement.

Cal sourit.

— Vous êtes obsédée par les ours ! Et ils ont des repaires, pas des tanières.

Regan soupira. Il devait être fatigué aussi, mais savait plaisanter malgré cela. Quelle volonté de fer !

— Je vous ai empêché d'avancer rapidement, n'est-ce pas ? dit-elle avec lassitude.

Cal avait déjà partiellement dépouillé le lièvre avec un petit couteau affûté tiré de sa poche et ses gestes étaient sûrs et rapides. Il ne releva pas la tête.

— Par moments, oui. Qu'attendez-vous de moi ? Des excuses pour vous avoir malmenée toute la journée ?

— Seulement si vous le pensez.

Les yeux de Cal étaient énigmatiques à la lumière du feu.

— J'aurais pu être plus dur. Vous le méritiez.

— C'est cela, encore en train de me juger ?

— Je connais votre caractère. Mais ce n'est pas de votre faute. C'est votre père qui vous a rendue mièvre.

Regan se rengorgea.

— Je ne tiens pas à parler de mon père !

— Je le sais. Mais il le faut, pour vous en libérer. On parle de la voix du sang, mais ce n'est pas toujours vrai. Si cela peut vous intéresser, moi non plus, je n'avais pas beaucoup d'affection pour mon père. Nos caractères étaient trop différents, confia-t-il.

— Je croyais que vous aviez pris sa succession après sa mort ?

— Pas tout à fait. Je n'aimais pas ses méthodes.

— Depuis combien de temps est-il mort ?

— Deux ans, répliqua-t-il avec un ton qui mettait un point final à cette conversation.

— Votre frère, continua-t-il, vous comptez beaucoup sur ces retrouvailles, n'est-ce pas ?

— Oui, peut-être trop. Il va être surpris lorsque je sortirai de la forêt sans crier gare.

— Plus que surpris, plutôt bouleversé. Vous voilà, sans passeport : ce ne sera pas facile d'en obtenir un autre à Fort Lester. Il vous faudra retourner à la côte pour aller voir le consul britannique de Vancouver.

Regan n'y avait pas songé ; elle écarta la pensée de cette démarche pour le moment.

— Je serai tellement heureuse d'arriver à Fort Lester ! Je m'inquiéterai du reste plus tard. Est-ce que… le chemin sera-t-il encore plus rude demain qu'aujourd'hui ?

— Par endroits, oui. La rivière traverse un couloir à quelques kilomètres d'ici. Nous ne pourrons pas la suivre, il va falloir escalader la crête. Vous y connaissez-vous en alpinisme ?

— Non, pas du tout. Vous oubliez que je ne suis pas du genre pionnier.

— Alors, pratiquez-vous un sport ?

— Le tennis et le squash.

— Le squash, est un sport éprouvant. Vous jouez bien ?

— Je n'ai jamais fait de tournois. Et vous ? Que faîtes-vous comme sport ?

— Je manque de temps pour les sports organisés.

Cette conversation impersonnelle détendait Regan.

— Allez-vous à la chasse ?

— Parfois. Me cherchez-vous noise pour cela ?

— Non, admit Regan, mais les animaux ne chassent que pour manger.

— Moi aussi, répondit-il doucement. Je ne vis des ressources du pays que lorsque je me trouve au-dehors, comme maintenant. C'est un défi pour l'homme.

Regan se mordait la lèvre. Quand apprendrait-elle à être diplomate ? Il était trop tard pour lui demander pardon. Elle regrettait de si peu connaître Cal Garrard. Qui mieux que lui aurait su la sortir de cette dramatique situation ? Elle était mal à l'aise en sa compagnie : il feignait l'indifférence à son égard... mais pour combien de temps encore ?

— Courbatue ? demanda-t-il, rompant le silence.

— Assez, oui. Je ne sais pas pourquoi, je suis pourtant en bonne santé.

— Vous utilisez des muscles qui n'ont pas l'habitude de travailler. De plus, vous avez été contusionnée hier. Moi-même, je ressens les effets de l'accident. Cependant, nous avons eu de la chance. Une fracture de la jambe ou même de la cheville aurait été désastreuse.

— Vous auriez été obligé de me laisser pour aller chercher du secours.

— Et si j'avais été blessé ? Pensez-vous que vous auriez été capable de trouver votre chemin toute seule ?

— Vous savez bien que non, frissonna Regan, je serais perdue sans vous, je veux bien l'admettre.

— Tout cela n'est que pure hypothèse. Nous sommes ensemble dans cette aventure, pour le meilleur et pour le pire !

— J'ai déjà entendu cela quelque part.

Les yeux de Cal changèrent d'expression momentanément.

— J'ai remarqué que vous clopinez. Vos chaussures sont-elles neuves ?

— Non, mais je ne porte pas souvent ce genre de souliers.

Regan, sans savoir pourquoi, se rendit compte qu'il avait changé de conversation à dessein.

— Et vous avez le talon en sang ? Je le regarderai après le dîner. Un petit incident comme cela pourrait gravement nous retarder.

— Je ne veux pas retirer ma chaussure. Je crois que je ne pourrais jamais la remettre.

— Si vous ne la retirez pas, vous serez incapable de marcher demain.

Elle ne protesta plus. Elle pouvait difficilement souffrir plus qu'à présent.

— Quelle distance avons-nous parcouru aujourd'hui ? demanda Regan.

— Seize ou dix-sept kilomètres, c'est difficile à dire.

— Pas assez pour couvrir soixante-dix kilomètres en trois jours, n'est-ce pas ?

— Alors nous mettrons quatre jours.

— Et on commencera à entreprendre des recherches pour vous et l'avion.

Cal haussa les épaules.

— Cela ne fera aucune différence. Nous serons sains et saufs à Fort Lester.

Regan ne partageait pas sa confiance. Ce n'était pas pareil pour lui, car il connaissait les dangers qu'ils encourraient et comment y faire front. Les hommes n'avaient pas les mêmes craintes et les mêmes faiblesses que les femmes.

Les poissons et le lièvre composaient un repas très appétissant. Sans le froid mordant, Regan aurait préféré rester auprès du feu, mais Cal la persuada d'aller jusqu'à la grotte qu'il avait découverte au fond de la ravine. En effet, le creux n'était pas très grand, mais l'intérieur était sec. De l'herbe desséchée par terre indiquait qu'elle avait peut-être servi d'abri à un animal sauvage.

— Pas depuis bien longtemps, remarqua Cal, sinon l'odeur y persisterait. L'entrée est trop large pour la sécurité d'un animal. C'est absolument parfait pour nous. Nous allons faire du feu juste devant, cela réchauffera l'intérieur. Seulement, si le vent tourne, nous aurons plein de fumée.

La grotte était confortable, il étala les couvertures par terre et fit un bon feu à l'entrée.

— Maintenant je vais jeter un coup d'œil sur votre pied. Enlevez votre chaussure.

Regan obéit, non sans mal. Le tampon du mouchoir s'était collé à la blessure, car sa chaussette était trouée. A la vue de sa peau écorchée, la chair à vif, Cal émit un petit sifflement.

— Vous avez dû souffrir le martyre toute la journée. Pourquoi n'avoir rien dit ?

— Je… je n'osais pas.

— Ça, je l'ai bien cherché ! Attendez, je reviens tout de suite.

Dix minutes plus tard il était de retour avec une espèce de mousse dont il prépara une pâte avec de l'eau. Il lui en fit un cataplasme qu'il appliqua sur sa plaie, la recouvrant ensuite d'une grande feuille.

— C'est un vieux remède indien, expliqua-t-il. Il guérit les blessures et rend la peau plus résistante. Remettez votre chaussure pour tout faire tenir. Demain je vous ferai quelque chose pour vous protéger pendant la marche. Au fait, cela risque de brûler un peu cette nuit.

Son talon cuisait déjà, mais elle n'allait pas s'en plaindre.

— C'est très bien comme cela. Merci. Où avez-vous appris à soigner les blessures de cette façon ? Chez les indiens ?

— Oh, par-ci, par-là. Si on essayait de dormir ?

Cal jeta du bois dans le feu. Il y avait à peine la place pour deux couches séparées dans la grotte, mais Regan s'enroula dans une des couvertures lorsqu'il eut le dos tourné. En revenant, il ne fit aucun commentaire, mais s'enroula à son tour, un peu plus habilement qu'elle. Ils ne dirent plus rien et s'endormirent rapidement.

Le lendemain matin, il faisait beau. L'air se réchauffa lorsque le soleil se leva au-dessus de la crête. Regan souffrait beaucoup moins de son talon, son pas était presque alerte. Elle avait besoin d'un bain chaud et de vêtements propres, mais cela était impossible dans la forêt. Leur situation aurait pu être pire. Ils avaient eu une bonne nuit de repos, et avaient mangé un peu avant le départ.

Malgré le terrain accidenté, ils avancèrent bien. A midi ils achevèrent les restes du dîner de la veille avec du céleri sauvage cueilli par Cal. Pour toute boisson, il y avait l'eau claire à la rivière proche. Regan contemplait loin derrière eux le lac qu'ils avaient quitté trente heures plus tôt. Il ne paraissait pas très loin. Lorsqu'elle demanda à Cal s'il aurait été plus près de sa destination si elle n'avait pas été là, il haussa les épaules.

— Peu importe, nous allons y arriver ! Ne vous en faîtes pas. Dans deux heures environ nous atteindrons le défilé dont je vous ai parlé. Le versant de ce côté-ci sera le plus pénible à franchir. Une fois de l'autre côté, nous arriverons vite à bon port.

Bon port ! Sans argent, et vêtue des seuls vêtements qu'elle portait, comment Regan pourrait-elle rester à Fort Lester ? Il allait falloir demander de l'aide à Ben en attendant le remplacement de ses chèques de voyage.

Levant la tête, elle surprit le regard de Cal posé sur elle. A l'encontre de la plupart des gens, il ne tourna pas ses yeux ailleurs, mais continua de la regarder, un sourire aux lèvres. Elle rougit. Seule avec lui, elle se sentit sans défense, ne sachant pas comment réagir dans une pareille situation. Finalement elle se sentait plus en sécurité lorsqu'il la traitait en enfant.

— Il nous faut partir. Etes-vous capable de continuer ?

— Oui, dit-elle.

Regan se secoua. Il ne fallait pas se méfier de lui. Elle se conduisait de façon ridicule, se dit-elle. Il ne lui avait donné aucune raison d'être sur ses gardes.

Ils avaient fait une heure de marche lorsqu'ils rencontrèrent un ours de façon si inattendue que même Cal en fut surpris. L'animal fouillait la terre à la recherche de quelque nourriture au pied d'un arbre à vingt-cinq mètres devant eux. Ils étaient à contre-vent, mais l'animal tourna lentement sa grosse tête grise dans leur direction, se redressant sur ses pattes arrière et griffant l'air de façon menaçante.

— Ne bougez pas, chuchota Cal, nous sommes trop loin de lui, sinon il nous aurait déjà attaqué !

Regan ne connaissait pas la distance d'attaque d'un grizzli, mais à son goût, il était beaucoup trop près. Elle voulut courir. Cal avait un fusil, pourquoi ne tirait-il pas ?

Il n'armait pas le fusil, il restait immobile et sans bruit, presque décontracté.

L'ours se remit à quatre pattes et se remit à fouiller, bien qu'il les gardât à vue en grondant de temps à autre. Il ne les attaquerait pas, à condition qu'ils n'essayent pas de s'approcher de lui.

Cal mit une main sur le bras de Regan, en lui indiquant qu'il leur faudrait contourner le rocher et s'éloigner de l'animal.

— Il finira de manger, puis il s'en ira. Nous passerons derrière le rocher là-bas.

Regan était ébranlée par cette rencontre. La terreur ne la quittait pas.

— Pourquoi n'avez-vous pas tiré ? haleta-t-elle, pas pour le tuer, juste pour lui faire peur.

Cal eut un sourire un peu sévère.

— Ce n'est pas facile de faire peur à un grizzli ! Ils ont faim à cette époque de l'année, cela les met de mauvaise humeur. Si on leur tire dessus, ils risquent d'attaquer.

— Qu'auriez-vous fait dans ce cas-là ?

— Je vous aurais poussée dans un arbre et j'aurais essayé de vous y suivre ! Même si mon fusil était chargé — ce qui n'est pas le cas — je n'ai que des plombs de chasse sur moi. Cela ne l'aurait pas arrêté, je vous assure, pas plus qu'une poignée de cailloux ! De toute façon, il ne nous a pas attaqué.

— Cela pourrait bien nous arriver une prochaine fois, fit Regan craintivement.

— Il n'y aura pas de prochaine fois. Nous sommes à contre-vent, et notre copain là-bas était occupé à se remplir l'estomac sinon nous ne nous serions pas approché si près de lui. Les grizzlis évitent d'eux-mêmes les êtres humains s'ils le peuvent. Dorénavant nous ferons plus de bruit pour les avertir.

Ses paroles étaient rassurantes, mais elle n'en croyait pas un mot. La rencontre pourrait se reproduire, et elle n'était pas convaincue de la répugnance naturelle des ours pour la compagnie des hommes. C'était une question de chance, voilà tout.

Il leur fallut une bonne demi-heure pour contourner la rivière en amont de l'ours.

— S'il vient par ici il nous flairera, commenta Cal, et il nous entendra aussi. Peut-être va-t-il falloir passer la nuit sur la crête. Cette histoire nous a fait perdre une heure sur notre journée.

Regan se moquait éperdument de leur point de chute pour la nuit. Tout ce qu'elle demandait était de quitter les alentours immédiats le plus vite possible. Cal continuait à marcher, elle le suivait machinalement.

4

Le soleil était encore au zénith lorsqu'ils arrivèrent à l'endroit où la rivière pénétrait dans une gorge étroite dont les parois s'élevaient à la verticale à une soixantaine de mètres au-dessus des rapides écumants.

— C'est une faille, expliqua Cal, la montagne s'est fractionnée il y a une éternité, dirait-on. Plus loin on peut longer la rivière, mais l'accès est très difficile. Cela fera une route toute prête le jour où ils décideront de remettre la rivière dans son lit d'origine, là où elle coulait autrefois en souterrain à trente kilomètres de l'entrée de cette gorge. Il serait intéressant de savoir où elle remonte à nouveau à la surface.

— Vous avez l'air d'en savoir long.

— Oh, j'ai fait un peu de géologie dans le temps, répliqua-t-il d'un ton neutre : allons, il faut partir. Nous allons remonter cette pente à droite, mais le plus difficile viendra ensuite du véritable alpinisme.

Bientôt ils dépassèrent les arbres et grimpèrent la montée rocheuse en silence. Regan eut des vertiges lorsqu'elle leva les yeux. Elle se força à ne regarder que devant elle et elle se sentit mieux.

Ils parvinrent à l'endroit où commençait l'ascension difficile, Cal la rassura :

— J'irai le premier. Vous n'avez pas à avoir peur si

vous mettez vos pieds et vos mains aux points de prise que je vous indiquerai. Regardez la roche tout le temps, et ne baissez pas les yeux ! La roche ne vous veut pas de mal, elle ne vous repoussera pas ! Nous apercevrons notre route vers le barrage depuis la crête là-haut.

Regan regardait Cal se hisser, choisissant des prises sûres. Lorsqu'il l'appela, elle avança automatiquement, sans se donner le temps de réfléchir. La seule route possible passait par cette ascension, il fallait avancer.

Escalader cette montagne était pire que prévu, tant la tension dans ses muscles était douloureuse. Regan montait lentement, aidée par Cal. Avant d'arriver à mi-chemin elle se sentit atrocement fatiguée. Il lui permit de se reposer quelques instants, mais elle dût lutter contre le désir de regarder en bas. Elle savait que si elle cédait, elle était perdue, elle aurait des vertiges et tomberait, ou bien elle se figerait sans pouvoir continuer à avancer.

Elle entendit la voix de Cal lui indiquant la prochaine prise pour ses mains. Elle voyait trouble, ses doigts avançaient à tâtons vers l'éperon rocheux à sa gauche, son pied grattait contre un point d'appui qui ne semblait pas en être un. Tout à coup une main d'acier la saisit par le poignet pour la tirer vers le haut. Un bras la soutenait dans le dos, et elle se sentit entraînée et allongée sur la terre plane. Elle resta là quelques instants sans bouger, le souffle court.

— Encore un peu, seulement quelques pas et vous pourrez vous reposer, exhorta Cal... venez, chérie, il ne faut pas rester là !

Regan ne comprit pas si c'était le danger ou ce mot tendre et inattendu qui la stimula, mais elle grimpa les derniers mètres d'herbe courte qui la séparaient d'un petit bosquet de jeunes pins ancrés dans la roche. Sous ses pieds, la douceur de la mousse. Elle était enfin en sécurité.

Le soleil, prêt à disparaître derrière la chaîne de montagnes, embrasait le paysage d'une lumière ambrée. Le ciel était strié de longues traînées rouges. De là où se trouvait Regan, on pouvait voir la vallée entière, longue et vaste, le lac en forme de haricot argenté, et au-delà, les collines qu'ils avaient survolées en avion en venant de Prince George. Combien y avait-il de jours de cela ? Trois ? Quatre ? Elle ne savait plus. Il pouvait aussi bien y avoir une semaine, ou un mois.

— Et voilà le barrage, lui dit Cal en le lui indiquant du doigt.

Regan regardait vers le nord, contemplant la vaste perspective révélée à ses yeux émerveillés. Les rayons du soleil éclairaient le béton sur un fond de montagne boisée, à vingt-cinq kilomètres de là environ. C'était trop éloigné, pour distinguer vraiment, mais elle imagina des hommes qui s'affairaient à la construction et la clameur des engins en marche. De son côté, la crête descendait en pente douce, recouverte de pins et de fenouil sauvage. La faille était visible sur plusieurs centaines de mètres, avant de se fondre dans la masse sombre de la forêt.

— Il nous faudra descendre un peu avant la tombée de la nuit, déclara Cal. Ici nous sommes trop à découvert pour dormir, et il ne doit pas y avoir de gibier, à part quelques bouquetins. Il ne nous reste pas beaucoup de temps. Vous croyez-vous capable d'y arriver ?

Elle acquiesça, stimulée par la pensée d'approcher de leur destination. Ils n'arriveraient peut-être pas en une journée, mais elle avait vu le barrage. Voilà qui était réconfortant !

— Est-ce que nous pouvons voir Fort Lester d'ici ? Dans quelle direction est-ce ?

Cal secoua la tête négativement.

— C'est derrière les collines à notre droite. La route

arrive par-derrière, au-dessus du barrage, puis elle redescend vers la centrale électrique. Ils vont la prolonger jusqu'ici lorsqu'ils auront tout dégagé. Il y aura un nouveau lac là-bas au mois d'août. D'ici un mois, ils vont commencer à fermer les écluses du réservoir.

Il la tenait par le bras pour l'empêcher de tomber lorsqu'elle trébuchait de fatigue.

— Nous ne sommes pas loin de l'endroit où nous allons nous arrêter pour la nuit. A l'intérieur de la forêt nous trouverons un abri.

Regan sentit la fraîcheur de la nuit, elle frissonna.

— Dommage qu'il n'y ait pas de caverne comme hier soir.

— Je partirai en reconnaissance dès que j'aurai posé mes collets. Il y a peu de chance de prendre du gibier ce soir ; je crains qu'il ne soit trop tard.

— Alors, nous nous passerons de manger.

Regan était trop lasse pour se tourmenter. Ses jambes étaient de coton. Si Cal était fourbu, il ne le montrait pas.

Il trouva une petite dépression abritée par quelques buissons en coupe-vent, et il y alluma rapidement un feu. Une couverture sur ses épaules, Regan le regardait charger son fusil. Peu de chance de trouver du gibier à cette heure-là ! Pendant ces derniers jours ils avaient mangé assez pour se sustenter, mais pas assez pour constituer des réserves. La journée de demain serait difficile — plus difficile que jamais — puisqu'il faudrait marcher l'estomac vide.

Après un court laps de temps qui lui sembla être une éternité, elle entendit un coup de fusil qui la fit sursauter. Lorsqu'elle l'aperçut, son soulagement fut immense. Cal portait un jeune chevreuil sur son épaule.

— De la bonne viande rouge pour vous remonter, annonça-t-il.

— Pauvre bête, fit Regan tristement.

46

Les bois du chevreuil commençaient à poindre au sommet de sa tête délicate, entre ses deux grandes oreilles.

— Il ne doit pas avoir plus d'un an !

— Pas de sentimentalité, riposta Cal sèchement. Je n'aime pas tuer les chevreuils, mais il nous fallait de la nourriture. Un lièvre n'aurait pas suffi. Comme cela nous aurons assez de viande pour arriver au barrage.

Regan savait qu'il avait raison, mais elle ne pouvait pas le regarder découper le petit animal aux pattes allongées.

La viande était longue à cuire, et était encore presque crue à l'intérieur lorsqu'ils commencèrent à la dévorer. Par raison, Regan s'arma de courage. Elle se sentait épuisée autant par le manque de nourriture que par ses efforts physiques. Elle aurait besoin de toutes ses forces le lendemain, pour pouvoir atteindre le barrage. Il fallait qu'ils arrivent en un jour. Une nuit de plus dehors lui paraissait difficile à envisager.

Cal n'avait pas trouvé de grotte, mais dans la dépression, ils étaient à l'abri du vent qui balayait la crête. Comme elle avait fait la nuit précédente, Regan se roula dans une couverture. Sans un mot, Cal haussa les épaules et se tourna de l'autre côté.

En un rien de temps le froid mordant avait pénétré la mince couverture. Malgré la fatigue, elle ne parvenait pas à s'endormir. Cal était couché immobile, ses pieds vers le feu mourant, le dos tourné. Elle se demanda à quoi il pensait, tout en essayant de ne pas regretter le réconfort qu'aurait représenté ses bras autour d'elle. Sous peu, elle claquerait des dents.

— Vous n'avez pas changé d'avis ? fit Cal sans se retourner.

— Tout va bien, répondit-elle.

Même maintenant elle était trop obstinée pour céder.

— Voulez-vous que je prenne la décision pour vous ?

— Non, mentit-elle.

Cal eut un petit rire moqueur.

— Il faut être une femme pour dire un non qui sonne comme un oui !

Il se déplaça vers elle, la pénombre masquait son visage. Regan soupira doucement lorsqu'elle sentit son poids à côté d'elle, et ses bras l'enserrer dans un geste qui semblait tout naturel.

— Vous vous sentez mieux ?

— Oui, dit-elle.

Elle avait été sotte, ils le savaient tous les deux.

Au moment de s'endormir, elle entendit un hurlement bizarre et s'assit brusquement.

— Ce n'est qu'un coyote, assura Cal, il ne nous approchera pas.

— En êtes-vous sûr ? Ce sont des loups, n'est-ce pas ?

— On les appelle les loups de la prairie. Ils chassent en bande et seulement en hiver. A cette époque-ci de l'année, il y a suffisamment à manger. Celui-là cherche une femelle.

Regan frissonna, emplie d'inquiétude.

— Pourquoi n'en avons-nous pas entendu auparavant ?

— Comment le saurais-je ? Celui-ci vient peut-être d'arriver dans la région.

Cal la repoussa sous la couverture et lui jeta un coup d'œil.

— Allez-vous me croire ! demanda-t-il. Si vous commencez à vous imaginer que tous les animaux d'ici en ont après vous, vos nerfs seront détraqués avant demain matin !

— Mes nerfs sont déjà détraqués ! Ce n'est pas de ma faute si je suis lâche !

— Vous ne l'êtes pas. Vous avez fait cette ascension sans vous plaindre, et ce n'était pas une grimpette pour amateur. Vous aviez confiance en moi à ce moment-là. Pourquoi ne me croyez-vous pas maintenant ?

Regan se tut un long moment, ses yeux plongés dans les siens. A son changement d'expression elle sut ce qu'il allait faire. Elle n'essayait pas de l'éviter. Lorsqu'il appuya ses lèvres sur les siennes, elle répondit à son étreinte sans réfléchir. Elle sentit la peau rugueuse de sa mâchoire et la puissance de sa main tendue sur sa gorge. Elle fut dégrisée par un second hurlement du coyote quelque part sur la crête, elle repoussa Cal.

— Non, ne faites pas cela, murmura-t-elle d'un ton inégal.

— Pourquoi pas ? Cela détournera votre attention de notre ami le coyote. Ne vous affolez pas. Je ne me laisserai pas entraîner par mes émotions dans ces conditions. Vous pouvez appeler cela une... une expérience limitée.

— Je n'appellerai rien du tout. Gardez vos baisers pour Dallas !

Cal prit un air déconcerté, puis son expression se durcit. De sa main, il prit son visage et le tourna vers lui. Puis il la regarda droit dans les yeux.

— Qui vous a parlé de Dallas ?

— C'est vous. Vous en avez parlé dans votre sommeil. Est-ce... est-ce votre femme ? ajouta-t-elle d'une voix tremblante.

Cal eut un rire rauque.

— Parce que si j'en ai parlé pendant mon sommeil, j'ai dû coucher avec elle, et si j'ai couché avec elle, elle est nécessairement ma femme, c'est cela ? On doit appeler cela une mentalité fraîche et pure ! Vous attendez-vous à épouser le premier homme qui vous fera l'amour ?

— Et comment savez-vous que personne ne m'a jamais fait l'amour ?

— Je veux dire, vraiment, pas seulement un baiser !
Et vous n'êtes même pas experte en matière de baisers !

— Mais vous l'êtes, j'imagine ?

Le ton moqueur de Cal l'avait piquée au vif... mais il
n'avait pas répondu à sa première question. Maintenant
Regan n'avait plus peur, elle désirait seulement lui
rendre la pareille.

— Ne vous a-t-il pas effleuré, Monsieur Garrard, que
je puisse trouver vos baisers sans intérêt ?

Il y eut un long moment d'arrêt, puis il rétorqua
calmement, une lueur de menace dans le regard :

— C'est vrai ? Alors, il faut recommencer !

Cette fois elle essaya en vain d'éviter le contact de sa
bouche. Cal la coinçait sous le poids de son corps. Le
baiser se prolongea, et au bout d'un instant Regan fut
incapable de résister. Elle ne le repoussait plus, posant
ses mains à plat sur les épaules puissantes de l'homme,
envahie d'un désir de les passer autour de son cou.
Lorsque l'étreinte prit fin, Regan se sentit en proie à
une sensation de regret.

Elle entendait Cal, allongé sur le dos, respirer profon-
dément.

— Vous auriez dû continuer à lutter !

— Vous m'en avez empêchée, répondit-elle, vous
êtes plus fort que moi.

— Ce n'est pas ce que je veux dire. Il fallait que je
vous immobilise, mais j'ai été ensuite pris au dépourvu
par votre réaction. Vous êtes un petit diable imprévisi-
ble, Mademoiselle-aux-yeux-verts !

— Ce n'est pas à moi qu'il faut faire ce reproche.

— Je ne m'en prends qu'à moi. Tout ce que je
voulais, c'était vous donner une leçon. Vous en avez
bien besoin !

Regan se redressa, ses yeux brillaient, elle oubliait le
froid environnant :

— J'étais... j'ai été émue par votre... votre attitude...

jusqu'à un certain point. Mais cela ne fait pas de moi une pauvre petite imbécile à qui vous pouvez faire la morale ! Si j'ai réagi, c'est simplement parce que c'est la première fois que vous m'avez traitée en adulte.

— C'est vrai ? En tout cas, cela n'a pas l'air d'avoir eu de grands résultats.

Il était couché sur le dos, les mains jointes derrière sa tête. Rapidement il avança le bras pour parer au coup de poing qu'elle s'apprêtait à lui assener. Elle perdit l'équilibre et tomba sur sa poitrine.

— N'essayez pas de me faire ça, ou je vous tire les oreilles. Au fait, si nous ne nous remettons pas sous les couvertures, nous allons mourir de froid.

— Vous... vous... j'aimerais mieux mourir de froid que de rester ici avec vous ! riposta Regan.

— Moi, non, et cela veut dire que vous n'avez pas le choix. Arrêtez tout de suite. Vous n'allez nulle part toute seule ! Comme vous me l'avez dit, je suis plus fort que vous.

Se rendant à l'évidence, Regan renonça brusquement à se débattre. Cal était résolu à la garder auprès de lui et à lui faire savoir ce qu'elle représentait pour lui — c'est-à-dire rien du tout ! — Il ne comptait pas pour elle non plus, et elle avait l'intention de le lui faire sentir.

Cal l'empêcha de s'éloigner de lui, bordant les couvertures autour de leurs deux corps d'une main experte. Il se glissa plus bas dans la couche improvisée et passa son bras autour de la taille de Regan, appuyant sa main au creux de son dos pour la plaquer contre lui. La bouche de Cal se trouvait près de sa tempe, son souffle effleurait doucement ses cheveux.

— J'aimerais mieux me retourner, déclara-t-elle d'un ton guindé.

— Taisez-vous et dormez, répondit Cal sèchement, nous ne sommes pas encore tirés d'affaire !

Il ne dit plus rien. Regan était crispée. Elle écoutait le

vent dans les arbres et sentait le battement régulier du cœur de l'homme contre sa poitrine. Si le coyote était arrivé à ce moment-là, elle n'aurait pas bougé. Jamais de sa vie elle ne s'était sentie aussi vide de toute émotion.

Au petit matin, le sommeil, même intermittent, devint impossible à cause des averses. Cal et Regan terminèrent leur nuit sous un abri improvisé, légèrement protégés contre les intempéries.

Aux premières lueurs de l'aube, Regan ne pensait plus au long chemin à faire jusqu'au barrage. Tout ce qu'elle désirait c'était l'arrêt du déluge. Frissonnante et trempée, elle se demanda pourquoi Cal paraissait insensible à ce froid glacial. La gorge sèche, ses yeux rougis de fatigue et de poussière, elle se blottit contre lui. Conserver la chaleur humaine était tout ce qu'elle voulait.

Dès l'aube, Cal commença les préparatifs du départ.

— Il va falloir lever le camp. Nous sommes tellement trempés que cela ne fera aucune espèce de différence.

D'un geste doux — oh, combien plus doux que la nuit précédente ! — il replaça une des mèches bouclées de Regan, qui tombait sur son front

— La première chose à faire est de trouver un endroit où nous pourrons nous sécher. Si vous gardez ces vêtements, vous allez attraper une pneumonie.

— Et vous ? fit Regan, claquant des dents, vous êtes également trempé.

— Je peux m'en sortir.

Il se mit debout, sans faire attention à la pluie battante qui lui tombait dessus.

— Allons-y. Il faut emmener les couvertures, nous pourrions en avoir encore besoin.

Il fit rapidement un baluchon, en enveloppant le fusil dans la plus sèche des deux couvertures. Regan suivait

Cal. Ses pieds dérapaient sur les feuilles mouillées. Ils descendirent vers la faille, Cal l'aidait là où la piste devenait difficile. Du regard, il ne cessait de chercher un endroit abrité.

Au bout d'une heure, ils trouvèrent une crevasse creusée dans la roche, autrefois fermée par une avalanche de pierres. C'était mieux que ce qu'ils avaient espéré. Il y avait assez de hauteur pour qu'ils puissent se tenir debout. Cal annonça qu'il allait chercher du bois sec pour faire du feu. Elle se demanda où il pourrait en trouver.

Il revint bientôt, serrant un peu de bois dans son blouson. Le feu une fois allumé, ils utiliseraient les branches qui se trouvaient autour de la crevasse. Le bois humide dégagea beaucoup de fumée, mais leur permit tout de même de se réchauffer légèrement.

Il avait fait le feu à l'entrée de la crevasse.

Il y avait peu de vent, et par bonheur il soufflait de l'ouest, aspirant de ce fait la fumée vers l'extérieur. Regan sentit les extrémités de son corps se réchauffer lentement à la douce chaleur des flammes. C'était exquis, après le supplice enduré sous la pluie battante.

— Maintenant, déclara Cal, ôtez vos vêtements mouillées et enveloppez-vous dans l'autre couverture. C'est ce que nous avons de plus sec.

Lentement elle retira son blouson et le lui tendit. Son pull-over était humide, elle en sentait la moiteur froide contre sa peau. Son jean, ses chaussures étaient totalement trempés.

— Il faut tout enlever, insista-t-il. Allez-y, ou je vous dévêtirai moi-même. Et ce n'est pas une vaine menace !

Regan savait qu'il en était capable. Résignée, elle se déshabilla sous la couverture. Déjà son mal de gorge gagnait ses bronches. Si elle gardait plus longtemps ses vêtements mouillés, elle savait qu'elle n'aurait aucune chance de parvenir en un lieu civilisé.

Cal accepta le jean et le pull-over sans regarder.

— J'ai dit de tout enlever !

— Mais ce sont des dessous en coton, ils vont vite sécher, protesta-t-elle.

— Enlevez-les. Et sans discuter, fit Cal d'un ton impatient.

Elle obéit sans plus discuter. Elle se savait battue à l'avance.

— Et maintenant, venez près du feu et ne soyez pas aussi prude. Vous pensez que je ne sais pas comment vous êtes toute nue ?

S'enveloppant plus étroitement encore dans la couverture, elle obéit, bien qu'elle n'osât pas le regarder dans les yeux.

— Et vous, vous ne vous déshabillez pas ?

— Déçue ? Je suis endurci. Ce n'est pas la première fois que je me trouve mouillé jusqu'à l'os. Mais en ce qui vous concerne, il faut activer votre circulation.

Regan eut un hoquet de surprise. Il l'empoigna et se mit à la frotter à travers la couverture, tandis qu'elle se débattait pour retenir les pans qui glissaient sur son corps.

— Arrêtez tout de suite, haleta-t-elle.

Cal continuait de la frotter de ses mains rudes. Il ne la lâcha que lorsqu'il crut bon de le faire. Il eut un sourire narquois.

— Voilà qui a dû vous fouetter le sang. Je vous l'ai dit hier au soir, vous n'avez rien à craindre de moi.

— Oui, et vous m'avez aussi dit que vous ne vous laisseriez pas emporter par quelques baisers, et vous avez failli perdre la tête !

— Une faiblesse momentanée. Je ne recommencerai pas, n'ayez pas crainte.

— Non, tout ce que vous allez faire c'est de rechercher toutes les occasions de m'humilier, fit-elle d'une voix tremblante de colère. Laissez-moi tranquille.

Après un instant, il murmura quelques mots à mi-voix, se massant le cou :

— D'accord, je suis une brute. Mais il y a quelque chose en vous qui ne demande qu'à souffrir.

— Je ne le fais pas exprès.

— Je ne devrais pas me laisser provoquer par vous, en ce cas. Plus vite nous sortirons d'ici, mieux cela vaudra pour nous deux.

— C'est mon avis également. Je meurs d'envie de me débarrasser de vous.

— Malheureusement, cela vous sera difficile.

— Que voulez-vous dire ?

Cal eut un haussement d'épaules.

— Vous ne pourrez pas rester sur le chantier, et votre frère ne pourra pas quitter son travail. Où irez-vous ?

— Cela ne vous regarde pas.

— Mais si, cela me regarde. Vous étiez dans mon avion. Je serai obligé de rester plusieurs jours à Fort Lester pour fournir les détails aux assureurs, ensuite je vous conduirai jusqu'à la côte pour vous faire refaire vos papiers. Jusque-là, vous resterez chez mon régisseur. Sa femme vous fournira des vêtements en attendant.

— Ce ne sera pas nécessaire, insista Regan désespérément, Ben s'occupera de tout.

— Et comment savez-vous ce qu'il veut faire après trois ans de séparation ? Cela va déjà lui porter un coup de vous revoir. Il ne faut pas s'attendre à ce qu'il fasse des miracles.

— Quoi qu'il arrive, je n'accepterai rien de vous, marmonna-t-elle d'entre les dents.

L'expression de Cal se fit plus dure.

— Vous accepterez ce qu'il y a de mieux pour vous.

Vous n'êtes pas obligée d'aimer cette solution, je vous demande simplement de l'accepter.

Il était inutile de se disputer davantage. Regan serra les dents et contempla le feu. Ben, pria-t-elle silencieusement, ne me laisse pas tomber !

5

La pluie dura jusqu'à midi. Ils mangèrent un peu du chevreuil que Cal avait fait rôtir la veille. Leurs vêtements avaient eu le temps de sécher devant le feu. Cal décida de partir et de faire le plus de chemin possible dans la journée. Avec un peu de chance, ils arriveraient au barrage le lendemain.

Au bout d'une demi-heure de marche, ils arrivèrent à un terrain plus plat, où leur chemin devint moins rude. Partout il y avait des traces de gibier, dans cette partie basse de la vallée.

— Les animaux ont leurs habitudes, expliqua Cal, ils n'aiment pas se déplacer. En ville, il y a des gens qui prévoient une opération de sauvetage des animaux qui seront cernés par les eaux, lorsqu'ils commenceront d'inonder la vallée de Keele.

— Mais que feront-ils des grands animaux ? Personne ne peut porter un ours sur son dos pour le ramener sur la terre ferme.

— Oh, les ours peuvent tout à fait nager sur quelques centaines de mètres. S'il s'en trouvait un en détresse, ils utiliseraient une flèche imbibée de tranquillisant avant de le hisser sur un radeau pour le tirer hors des zones dangereuses. Un grizzli adulte pèse entre trois cent cinquante et trois cent soixante kilos. Ce serait une tâche difficile que de le porter. Les ours noirs pèsent lourd aussi. — Mais avec un peu de chance, il ne leur arrivera rien.

Cal posa son regard sur Regan, qui marchait à ses côtés là où la piste s'était élargie.

— Vous sentez-vous bien ?

— Oui.

Pour rien au monde elle ne lui aurait parlé de la migraine et du mal de gorge qu'elle ressentait. Il l'aurait obligée à se reposer, et ils n'auraient pas atteint le barrage. Elle poursuivrait son chemin, dut-elle en mourir !

Regan ne sut pas s'il l'avait crue, mais il ne s'arrêta pas. De temps à autre elle restait un peu en arrière, pour cacher les frissons qui lui parcouraient le corps. C'était un refroidissement, un rhume dû à cette nuit de pluie. Une boisson chaude et un cachet d'aspirine la guériraient rapidement. Plus vite ils arriveraient à destination, plus vite elle pourrait se soigner. La nuit prochaine serait difficile, mais il fallait tenir bon.

Son tremblement empira en chemin, entre les arbres festonnés de brume. La terre sous ses pieds était imprégnée d'eau. Ses chaussures, trop fragiles pour le trajet, étaient à nouveau trempées. Hébétée, elle avançait comme un automate, répondait brièvement lorsqu'il lui parlait, à peine consciente de ce qui l'entourait.

Vers quatre heures de l'après-midi ils atteignirent l'endroit où la rivière Keele se déversait dans l'Ender. Partout il y avait des signes d'activité humaine, des traces récentes laissées par des jeeps, selon Cal.

— Vous êtes absolument épuisée, remarqua-t-il, nous allons camper ici, vous vous reposerez un peu.

— Non, dit-elle d'une voix éteinte, nous allons jusqu'au barrage tout de suite. Nous nous reposerons après.

— Il y a encore quinze kilomètres à parcourir. Nous n'y serons pas avant minuit.

— Ça m'est égal, chuchota Regan, tremblante, je ne veux pas m'arrêter maintenant. Oh, je vous en prie, Cal.

Elle l'avait appelé par son prénom pour la première fois, sans s'en rendre compte.

Il considéra sa pauvre mine, son visage blême, et répondit doucement.

— Il vous faut du repos. Vous allez vous trouver mal si nous continuons. Nous arriverons demain.

Un flot de révolte fiévreuse monta en elle.

— Non! J'irai seule, et vous ne pourrez pas m'en empêcher!

Regan se mit impétueusement à courir, traversant la petite clairière en zigzag, mue par l'énergie du désespoir. Tant pis s'il la suivait, tout ce qui comptait était d'aller de l'avant.

Elle dévala la pente en direction de la forêt. Elle entendit le bruit d'un moteur avant d'apercevoir la jeep. Les deux occupants du véhicule regardèrent avec ahurissement cette apparition : une jeune fille en tenue débraillée, les cheveux ébouriffés et les yeux égarés, qui se jeta pratiquement sous leurs roues.

Cal courut derrière elle et la prit par les épaules pour la soutenir. Regan ne quittait pas des yeux l'homme aux cheveux roux assis à côté du conducteur. De sa main elle fit un geste, qui se voulait implorant et amical à la fois.

— Ben? demanda-t-elle d'une voix éteinte.

Sans attendre sa réponse, Regan s'évanouit.

Lorsqu'elle reprit connaissance, il faisait grand jour. Confortablement installée dans un petit lit, elle se trouvait dans une chambre carrée aux murs préfabriqués et aux fenêtres sans rideaux, dont les vitres poussiéreuses laissaient filtrer un pâle rayon de soleil. A proximité, des engins faisaient un vacarme strident. Par intervalles, elle entendait des éclats de voix.

Regan se remémora les événements de la veille, son arrivée au barrage dans la jeep. Ben, pâle et bouleversé.

— N'essaies pas de parler, petite sœur, avait-il dit, nous aurons tout notre temps plus tard.

Il avait besoin de se ressaisir, pensa Regan. Qu'avait-il pu éprouver en voyant surgir du passé une sœur qu'il croyait à des milliers de kilomètres !

Le médecin de service du barrage l'avait examinée. Il l'avait trouvée épuisée et atteinte d'une légère infection. Une nuit de plus à la belle étoile, et elle n'aurait pas échappé à la pneumonie. Il lui avait conseillé un bon bain chaud, avec de l'eau jusqu'au cou, avant de l'envoyer se coucher à l'infirmerie du camp. Elle n'avait revu ni Ben, ni Cal : ce dernier devait être en train de récupérer également.

La porte s'ouvrit et quelqu'un jeta un coup d'œil timide à l'intérieur de la pièce. Puis la voyant éveillée, il avança vers le lit. Regan sourit, ne sachant comment accueillir cet étranger qu'elle n'avait pas vu depuis trois ans.

— Bonjour, fit-elle.

Ben semblait aussi embarrassé qu'elle. Il avait grandi et paraissait plus mince, debout à côté du lit, les pouces passés dans la ceinture de son jean.

— Bonjour, Regan. Mac m'a permis de venir te voir. Comment te sens-tu ce matin ?

— Bien. Le bain et cette bonne nuit de sommeil m'ont fait le plus grand bien ! Je regrette d'arriver de cette façon. Je voulais te faire une surprise !

— Je sais, répondit Ben, avec une pointe d'accent canadien. Tu as fait une arrivée de cinéma. Cela m'a porté un coup !

Regan prit conscience de son allure échevelée. Malgré l'interdiction du médecin, elle s'était lavé les cheveux la veille, les séchant simplement avec une serviette. Elle était propre, mais assez peu soignée. C'était surprenant que Ben ait pu la reconnaître. Elle qui autrefois était toujours tirée à quatre épingles.

— Cal Garrard t'a donné des détails sur notre aventure ?

— Oui. Nous avons longuement discuté hier soir quand tu étais au lit.

— Il t'a dit pour… pour papa ?

— Oui, répondit-il avec une légère raideur — je ne savais pas. Je n'ai pas lu beaucoup de journaux depuis dix-huit mois, en dehors du quotidien local. Et comment m'as-tu retrouvé, Regan ?

— Par une agence de recherches privée. Il fallait que je te revoie, je ne pouvais pas en rester là, une fois que…

— Je serais venu moi-même, si j'avais su pour père, coupa Ben.

Elle détailla le visage de son frère.

— Lorsqu'il m'a mis à la porte, j'avais juré de vous oublier tous les deux, continua-t-il — mais toi, tu m'as manqué… oh, qu'est-ce qu'il faut dire ?

— Que je faisais partie de cette vie que tu as refusée ; tu savais que je ne quitterais pas papa. Je ne t'en veux pas. Tu sais, je ne pouvais pas le faire à ce moment-là. Je manquais de courage. Oh, Ben !

D'un air suppliant, elle lui tendit la main. Il la lui prit gauchement dans la sienne, sèche et chaude. Sans réfléchir, elle le compara à Cal. Bien que très différents, les deux hommes — son frère, avec ses vingt-quatre ans, et Cal qui paraissait la trentaine — avaient connu la vie dure. Mais elle se rendit compte que Cal, même à l'âge de Ben, se serait comporté autrement, avec détermination et adresse.

— Excuse-moi, fit-il d'un air penaud, renouer avec

les liens du passé n'est pas mon fort. J'ai encore l'impression de rêver en te voyant là !

Etait-ce un rêve, ou un cauchemar. Elle ne lui posa pas la question, mais elle lâcha sa main et tapota le lit pour le faire asseoir.

— Dis-moi ce que tu as fait pendant tout ce temps. Depuis quand es-tu au Canada ?

— Deux ans. Je suis venu ici dès que j'ai obtenu mon diplôme, répondit-il avec enthousiasme. Tu verras, Regan, c'est un pays fantastique ! Son expansion est incroyable. Le barrage de Keele n'en est qu'une petite partie ! Si tu voyais ce qu'ils font à la rivière Peace ! Et il n'y a pas que l'électricité à bon marché, il y a la coupe du bois, les mines de cuivre, d'aluminium, de zinc... D'ici vingt ans le Canada sera le pays le plus riche du monde, crois-moi !

— Cela semble être le slogan du pays ! Cal en parle tout le temps.

L'expression de Ben changea subtilement.

— Il nous a dit que vous avez mis trois jours pour arriver là où nous vous avons trouvés. Quelle chance tu as eue de te trouver avec quelqu'un qui connaisse le pays.

Regan ne voulait pas se remémorer ces trois jours... et ces trois nuits.

— Le connaissais-tu auparavant, Ben ?

— De réputation, oui. Tout le monde a entendu parler de la Société Garrard. Il possède des concessions forestières sur la moitié du pays, des baux à long terme qui vont valoir des millions de dollars maintenant, grâce au barrage.

— J'imagine. J'ai acquis quelques rudiments de finances aux côtés de papa. Cela m'étonne, d'ailleurs, qu'il n'ait jamais pensé aux ressources potentielles du Canada.

— Il avait d'autres chats à fouetter ! Des bénéfices

immédiats. Il n'était pas homme à travailler à long terme, tu le sais bien. Pour lui, il fallait des gains rapides. Combien de gens a-t-il mis sur la paille, je me le demande, ajouta-t-il amèrement.

— Je ne sais pas... je ne savais pas... tu sais, Ben, il ne restait presque rien à la fin. J'ai tout dépensé pour venir te rejoindre ici.

— Moi, je n'aurais pas touché à son argent, je ne désire rien, qui vienne de lui.

Y compris Regan elle-même ? Son frère avait refait sa vie, elle ne pourrait lui apporter que des complications. Ils étaient devenus deux personnes très différentes de l'adolescent et de la petite fille d'autrefois. Pourquoi s'était-elle imaginée qu'il n'aurait pas changé ? Ben s'était libéré en quittant la maison familiale, il n'avait pas besoin d'une petite sœur à ses côtés. Où irait-elle après cette escale au Canada ? Retournerait-elle en Angleterre ? Rien ni personne ne l'attendait là-bas.

— Je me suis mis dans le pétrin en venant ici, n'est-ce pas ? dit-elle d'une voix entrecoupée.

— Ne t'en fais pas, Garrard s'occupera de tout.

— Non, non. Je ne veux pas de cela !

— Alors, quoi ? Je ne peux pas m'absenter en ce moment, fit Ben d'un air perplexe.

— Je ne veux pas que tu le fasses. Prête-moi un peu d'argent en attendant le remplacement de mes chèques de voyage. Je te le rembourserai, Ben.

— Ce n'est pas une question d'argent. Je t'aiderai, bien sûr, mais tu auras besoin de plus qu'un secours financier pour rester dans ce pays, et cela je ne saurais le faire.

— Pour rester ? Tu veux dire... tu veux que je reste ?

— Bien sûr. Je viens de te dire que c'est un pays formidable ! Mais Fort Lester n'est pas une ville pour une fille comme toi — pas encore, il faut lui donner un an ou deux. En attendant, tu seras mieux sur la Côte, et là, Garrard peut t'aider. Il t'obtiendra un permis de travail et une situation.

— C'est lui qui s'est offert, ou c'est toi... ?

Ben sourit d'un air enfantin.

— C'était plutôt une décision qu'une suggestion de sa part. Il semble y avoir pensé sérieusement.

— Il se sent responsable de moi parce que j'étais dans son avion lors de l'accident, expliqua Regan — je suppose que je serai obligée d'accepter son aide.

— Je crois que tu n'as pas le choix. Il te renverrait, si tu ne faisais pas ce qu'il a décidé.

Et toi, Ben, tu le laisserais faire, pensa Regan.

— Qu'aurais-tu fait si j'étais arrivée toute seule, par mes propres moyens ?

— Je ne sais pas. Il y a un soi-disant hôtel où tu aurais pu descendre. Mais cela aurait été pour un séjour limité. Je n'aurais pas pu faire prolonger ton visa.

— Même pour une parente proche ?

— Je n'ai pas de domicile fixe. Je quitterai la région dès que le barrage sera terminé.

— Où iras-tu ?

— Je n'en sais rien encore. Ce n'est pas le choix qui manque. Je pourrais même me faire embaucher par la Société Garrard. Cal a pour projet de faire un pont enjambant un cañon situé sur ses terres, ce qui réduirait ses frais de transport de quelques milliers de dollars par an. Les travaux ne commenceront pas avant le printemps prochain, mais l'avant-projet est déjà en cours.

— T'a-t-il déjà offert de venir chez lui ?

— Non, mais je le voyais venir ! Pourquoi pas ?

— Je n'y vois pas d'inconvénient, mais Garrard semble prendre en mains nos deux destinées.

— Toi, Regan, tu as besoin de quelqu'un pour s'occuper de toi. Moi, je suis libre de faire ce que je désire.

Ben se leva, un peu gêné à nouveau.

— Il faut que je retourne à mon travail. Cal a l'intention de partir dès que ses affaires seront terminées. Je suis invité à déjeuner chez son régisseur à Fort Lester dimanche, je te verrai à ce moment-là.

Il lui caressa brièvement la joue.

— Je regrette qu'il en soit ainsi, mais nous nous rattraperons plus tard.

Regan le vit partir. Elle avait le cœur lourd. A quoi d'autre pouvait-elle s'attendre ? Elle comprenait le point de vue de son frère. On lui avait ôté la responsabilité de sa sœur, et il y avait volontiers consenti. Et elle, Regan ? Cal Garrard avait fait plus qu'il ne devait. Elle ne voulait pas en accepter davantage.

Elle repoussa les couvertures du lit avec énergie. Malgré les épreuves douloureuses qu'elle venait de traverser, elle se sentait en pleine forme ce matin-là. Elle ne savait pas encore ce qu'elle allait faire — mais tout était mieux que de rester au lit et d'attendre.

Les vitres étaient tellement sales, qu'elle ne voyait rien de l'extérieur. La cabane où elle se trouvait semblait faire partie d'un groupe de bâtiments, situés dans une clairière hors de vue du chantier.

Poussant la porte d'un petit coup sec, le médecin entra dans sa chambre, portant ses vêtements d'une main et un plateau de l'autre.

— Jouer la nurse anglaise ne fait pas partie de mes attributions, mais... au fait, mon pyjama ne vous va pas mal du tout, ma fille !

Regan sourit de bon cœur.

— Est-ce que je sens l'odeur du café ?

— Du café, du jambon et des œufs. La plus mauvaise association que l'on puisse imaginer, mais je crois que vous pouvez la supporter. Cal Garrard vous fait dire qu'il vous attend dès que vous serez prête. Il veut vous voir.

— Me voir, ou m'emmener ailleurs ?

— Les deux, je pense. Vous ne pouvez pas rester ici, c'est mauvais pour le moral de mes hommes.

— Je ne m'approcherais pas d'eux.

— Peut-être pas, mais ils se battraient pour vous approcher. Nous sommes en pays barbare, vous savez.

— Cela n'a pas l'air de vous déranger.

Le visage basané du vieux médecin grimaça un sourire.

— Les lumières de la ville n'ont plus beaucoup d'attrait pour moi, vous savez. Je prends ma retraite à la fin de l'année.

— Excusez-moi, je ne voulais pas être indiscrète. Connaissez-vous mon frère personnellement, ou est-ce qu'il n'est ici qu'un être parmi tant d'autres ?

— Je le connais assez bien. Nous faisons une partie d'échecs de temps en temps. Il joue bien.

— Il a toujours aimé jouer aux échecs. Parle-t-il de sa famille ?

— Non, mais il a donné votre nom comme celui de son plus proche parent.

Donc Ben ne l'avait pas totalement oubliée. Regan se sentit un peu réconfortée.

— Et maintenant, prenez votre petit déjeuner, ordonna le médecin — je ne l'ai pas apporté pour le plaisir.

— Je ne pense pas pouvoir tout manger.

— Il faudra tout de même essayer. Avez-vous besoin d'autre chose ?

— Un miroir, ou serais-je plus avisée de m'en passer ? demanda Regan à regret.

— Je ne saurais vous dire. A mon avis, vous avez bonne mine. C'est agréable de voir un visage féminin sans maquillage ; toutes ces saletés sont mauvaises pour la peau.

— Mais elles font du bien au moral !

— Alors, il faudra que votre moral en prenne un

66

coup en attendant votre retour à la civilisation. Je vous ferai porter le miroir. Si je ne vous vois pas avant votre départ, soignez-vous bien. Vous avez une bonne constitution, mais vous avez failli la démolir.

Regan n'avait pas faim, cependant elle avalait ce qu'elle pouvait. Le café la stimula. Tout en le buvant, elle examina ses vêtements : on lui avait lavé son jean, mais il portait encore des tâches indélébiles, témoins de son aventure. Ses chaussures aussi étaient éraflées et durcies par l'humidité, son blouson usé par les intempéries. Seul son pull-over était à peu près mettable.

Elle était prête lorsqu'on frappa à la porte. C'était Cal. Il lui apporta un petit miroir et un peigne propre, qu'il lança sur le lit. Il la contempla assise au bord du petit lit de fer.

— Comment vous sentez-vous ce matin ?

— Comme une enfant abandonnée.

Cal lui-même avait revêtu des vêtements propres et il était rasé de près. Ses mâchoires étaient contractées de manière belliqueuse.

— Vous avez vu votre frère ? demanda-t-il. Un hélicoptère viendra nous chercher dans un quart d'heure. Ne faites pas cette tête-là ! Vous serez bien une fois dans l'appareil. Nous ne risquons pas d'autre accident, si peu de temps après notre dernier atterrissage brutal !

— J'aurais quand même préféré prendre la route.

— Nous allons prendre l'hélicoptère, répondit-il d'un ton sans réplique. Nous serons chez Royd en vingt minutes.

— Qui est Royd ?

— Royd Patterson, le régisseur de l'entreprise pour la région. Vous resterez chez lui avec sa femme.

— Et vous ?

Cal eut un haussement d'épaules.

— Moi, j'ai une petite cabane à un kilomètre de chez

eux. Voulez-vous me tenir compagnie pendant quelques jours ?

Regan se contint avec difficulté.

— Non, merci, je crois que ces trois jours me suffisent ! Vous n'avez aucune obligation envers moi.

— Nous n'allons pas recommencer. J'ai déjà discuté de votre avenir avec votre frère, et il est d'accord avec moi.

— Vous ne gérez pas ma vie, ni l'un, ni l'autre !

— Vous vous êtes mise entre les mains de votre frère en venant le rejoindre ici. Maintenant, il m'a confié la tâche. C'est comme cela. Et peignez-vous les cheveux, vous avez l'air d'un clochard.

— Si vous avez honte d'être vu avec moi, vous pouvez me laisser ici.

— D'accord, restez comme vous êtes, fit-il nonchalamment. Laura vous prêtera une brosse à cheveux si vous changez d'avis.

Regan soupira. Elle avait appris dans la forêt qu'il ne fallait pas discuter avec lui. Elle prit la glace d'un air résigné. Elle fut étonnée d'y voir sa figure bronzée, ses traits tirés, ses cheveux ébouriffés.

— Allez, vous êtes assez jeune pour faire face au monde sans l'aide des fards, ajouta Cal d'un ton narquois.

— Et assez âgée pour être irritée par vos références continuelles à ma jeunesse. Soit dit en passant, je n'essayerai pas de profiter de ce qui s'est passé l'autre nuit.

— Vous ne pouvez pas, parce que rien ne s'est passé. Cependant, les autres vont avoir du mal à y croire.

En voilà l'explication, se dit Regan ; il la traitait en petite fille pour prévenir les racontars.

L'hélicoptère les attendait dans un nuage de poussière, sur l'aire de construction à deux cents mètres du barrage. Le chantier bourdonnait d'activité, des camions déversaient du sable et du gravier dans la gueule béante des bétonnières. La paroi courbe du barrage paraissait monter à des centaines de mètres au-dessus de leurs têtes, mais en même temps elle semblait trop mince et fragile pour soutenir la pression de quelques millions de tonnes d'eau. Des ponts élévateurs montaient des ouvriers et du matériel jusqu'au niveau supérieur de la paroi. Regan crut apercevoir Ben près de la cabine du générateur, mais elle n'en était pas sûre. De toute façon, quelle différence cela faisait-il ? L'attitude de son frère à son égard était claire et nette.

Assise entre Cal et le pilote de l'hélicoptère, Regan se sentit un peu inquiète, lorsque le moteur se mit en marche dans un tourbillon de poussière. Puis l'appareil s'éleva et survola le chantier. Les ouvriers grouillaient autour de la construction, et, au-delà on apercevait la vallée verte et encore inviolée, qui serait bientôt noyée par les eaux.

L'hélicoptère suivit la route contournant le barrage jusqu'au lac, puis il mit le cap sur la ville, à l'orée de la forêt lointaine.

6

Les Patterson habitaient un lotissement hors de la ville, construit pour l'usage exclusif des employés de la Société Garrard. Royd avait quarante ans environ. Il était presque aussi grand et aussi fort que Cal. Laura, sa femme, était un peu plus jeune que lui. Leurs deux enfants, Fiona et Hugh, respectivement âgés de dix ans et de huit ans, et quelques animaux domestiques, dont deux chiens, constituaient une maisonnée simple et accueillante. Dès le départ, Regan se sentit parfaitement à l'aise.

Quant à Fort Lester, la ville correspondait en tous points à ce qu'on lui en avait raconté : quelques magasins, deux stations-service, une église, un hôtel et pas grand-chose d'autre. Avec l'argent prêté par Ben, Regan fit l'acquisition de l'indispensable, et se fit plaisir en s'offrant un ou deux articles de luxe : un tube de rouge à lèvres et un petit pot de crème de beauté. Pour le reste, elle attendrait d'arriver sur la côte, car elle refusait obstinément d'accepter un dédommagement anticipé de Cal, pour ce qu'elle avait perdu dans l'accident. Elle préférait patienter jusqu'au règlement de la compagnie d'assurances.

Pendant les deux premiers jours, Cal passa le plus clair de son temps aux camps de bûcherons et aux scieries avec Royd. Puis il partit en hélicoptère montrer l'épave de son avion à l'expert envoyé par les assurances. Regan aurait bien voulu les accompagner, mais elle hésita à le lui demander. De toute façon, il s'agissait d'une curiosité morbide de sa part. Ils auraient pu être tués tous les deux. A quoi bon retourner sur les lieux de la catastrophe ? Tout cela était passé, il fallait qu'il en soit ainsi.

Le dimanche, Ben était venu déjeuner chez les Patterson. Dès que le repas fut terminé, les enfants l'entraînèrent jouer au base-ball dans le jardin avec Cal et leur père.

— Comme votre frère est beau ! remarqua Laura lorsqu'elle et Regan furent seules sur la véranda. Il devrait avoir une femme et des enfants.

— Je ne pense pas que cela l'attire pour l'instant. Il préfère penser à l'expansion de votre pays, plutôt que de fonder un foyer.

— Nous avons besoin de monde ici : le pays est grand, et nous autres canadiens, ne sommes pas assez nombreux. Au fait, avez-vous pensé à demander la nationalité canadienne ?

— Je ne sais même pas si je vais rester au Canada une fois le barrage terminé. Cela dépend de Ben. D'autre part j'imagine qu'ils choisissent leurs citoyens avec soin. Je n'ai même pas encore trouvé de travail.

— Oh, Cal arrangera tout cela. Il peut presque tout faire. Il connaît tout le monde. Son père s'était fait beaucoup d'ennemis, parce qu'il ne pensait qu'au profit. Cal n'a pas d'ennemis, pour ainsi dire, et il fait des bénéfices quand même.

— Vous voulez dire, la Société en fait.

— Mais c'est lui, la Société. Un P.-D.G. avec un conseil d'administration fidèle. Pas mal, à trente-deux ans, n'est-ce pas ?

— C'est facile lorsque vous héritez d'une entreprise

florissante... après tout, son grand-père fut le véritable bâtisseur de l'empire Garrard. C'est lui qui a tout commencé.

Les traits sans beauté de Laura laissèrent paraître de l'admiration pour Cal, lorsqu'elle expliqua à Regan :

— Tout remonte plus loin encore. Des Garrard sont ici depuis que Mackenzie traversa les Rocheuses pour la première fois, ou peu de temps après. Son aïeul découvrit un filon d'or lors de la ruée de '58. Cal est le dernier de la lignée, pour l'instant. S'il n'a pas d'héritier sous peu, il n'y aura bientôt plus de Société Garrard, si ce n'est sur le papier.

— Sa femme ne veut-elle pas d'enfants ? demanda Regan, après un silence qu'elle eut du mal à rompre.

— Sa femme ? C'est là le problème, il n'est pas encore marié ! Naturellement, les candidates ne manquent pas.

Regan n'essaya pas de se cacher le soulagement apporté par cette simple phrase : Cal n'était pas marié. Elle ne se demanda pas pourquoi elle se sentait heureuse, allégée : c'était évident.

— Avez-vous entendu parler d'une femme nommée Dallas ? interrogea-t-elle, d'un ton qu'elle voulut désinvolte.

Avec un regard pénétrant, Laura répondit :

— Oui, pourquoi ?

— Oh, je me demandais... il l'a mentionnée une ou deux fois. Je pensais qu'elle était sa femme et qu'ils étaient séparés... ou quelque chose comme cela.

— Dallas est sa belle-mère. Cal gère la Société, mais il me semble qu'elle a des intérêts dans l'affaire. Vous ferez sa connaissance lorsqu'il vous emmènera à Victoria.

Regan n'était plus sûre de vouloir aller à Victoria, ni de rencontrer Dallas. Elle se souvint de la voix de Cal, lorsqu'il avait murmuré son nom. Sa *belle-mère !* Comment pouvait-elle être ? Bien conservée, sans doute. Une femme d'âge moyen, bien soignée, sûre d'elle, sophistiquée. Certains hommes étaient attirés par des femmes d'âge mûr, mais elle n'avait pas songé que Cal pouvait être de ceux-là. Elle le regardait, jouant au base-ball avec les enfants, ses traits sévères détendus par le jeu. Elle savait que c'était un homme complexe, s'intéressant à de multiples activités. Pourquoi s'étonner de ce nouvel aspect de son caractère ? Elle connaissait ses raisons. Mais pour Cal, Regan ne représentait qu'une responsabilité limitée dans le temps. Une fois son devoir accompli, il l'oublierait. Regan résolut d'en faire autant.

Ben resta chez les Patterson jusqu'à l'heure du dernier car pour le barrage. Cal s'offrit à l'accompagner à l'arrêt des cars. Il invita Regan, pour qui ce serait la dernière possibilité de le voir, à l'accompagner.

Le car était sur le point de partir, lorsqu'ils arrivèrent en ville. Ben courut pour l'attraper. Il lança un dernier mot à l'intention de sa sœur :

— Au revoir, petite sœur, à cet automne !

Les rues de la ville étaient presque désertes, la plupart des employés du chantier étaient partis dans le même car que Ben. Il y avait peu de distractions pour ceux qui n'avaient ni amis, ni famille dans le pays.

Sans démarrer, Cal lui offrit une cigarette.

— Vous vous êtes résignée à le laisser ici, et à partir sur la côte ?

Cette fois, Regan accepta la cigarette.

— Quelle différence cela fait-il ?

— Aucune. De toute façon, vous seriez morte d'ennui dans cette petite ville.

— Et pas Laura !

— Laura a sa famille. De plus, elle a une bonne vingtaine d'années de plus que vous, cela change tout.

— Vous voulez dire que toutes les femmes qui ont

74

dépassé la quarantaine ne désirent aucun changement dans leur mode de vie ?

— Disons que dans la plupart des cas, elles acceptent ce qu'elles ont.

Y compris Dallas ? se demanda Regan. Dallas était-elle contente de son destin ? Répondait-elle à l'intérêt que Cal lui portait ? Pas nécessairement, ou ils auraient refait leur vie ensemble. Regan n'avait qu'une connaissance imprécise des lois, relatives à l'union d'un homme avec la veuve de son père. Mais il n'y avait certainement pas de liens de sang entre Cal et Dallas.

— Je regrette que je ne sois pas plus âgée. Cela doit être merveilleux, d'être installée et sûre de soi ! s'exclama-t-elle avec véhémence.

— Je ne connais personne qui ne changerait pas avec vous. La jeunesse est une époque magnifique.

— Mais vous... vous empêchez les gens de vivre leur vie. Vous vous posez en... en tuteur.

— C'est vrai ? J'aurais pu trouver un emploi plus facile que d'être votre tuteur. Au fait, chère pupille, il faut réfléchir à ce que vous allez faire cet été. Un cours de sténodactylographie vous serait sans doute utile.

— Il faut que je travaille tout de suite. Je n'aurai pas assez d'argent pour vivre jusqu'à l'automne, et je ne veux plus demander d'argent à Ben.

— Vous n'avez besoin d'en demander à personne. Tout est arrangé. Vous allez descendre dans un immeuble appartenant à ma Société à Victoria. La ville vous plaira, elle a une atmosphère tout à fait Vieille Angleterre.

— Je n'accepterai pas la charité, riposta Regan, je payerai ma part.

— En ce cas-là, vous pouvez travailler pour l'entreprise le matin, et l'après-midi vous irez au collège. Peut-être avez-vous même un don caché, un génie marqué pour les chiffres hérité de votre père.

Cal se moquait d'elle, mais elle ne répondit pas à ses taquineries.

— Je ne pourrai pas devenir une secrétaire compétente en quatre mois. A quoi le collège me mènera-t-il ?

— Cela vous occupera jusqu'au moment où votre frère sera en mesure d'assumer ses responsabilités envers vous, sans doute !

— Je suis en âge de m'occuper de moi-même.

— Vous avez l'âge, oui, mais vous n'êtes pas en position de le faire. Vous ne connaissez pas le pays et vous n'avez jamais travaillé de votre vie. Si vous ne voulez pas retourner en Angleterre, acceptez l'aide qu'on vous offre. Je vous dois cela, au moins. Et ne discutez pas ! Mardi matin nous allons à Prince George ; nous serons à Vancouver au début de l'après-midi.

— En avion ?

— Bien entendu. Par la route il faudrait deux jours rien que pour arriver à Prince George. Vous ne voulez pas coucher de nouveau à la belle étoile, n'est-ce pas ?

— Oh, non, non, vous avez raison.

— Bon. Je vous laisse chez les Patterson et puis je vais me coucher.

Emmenez-moi avec vous ! voulait dire Regan, sans honte. Elle avait déjà dormi dans ses bras, et le souvenir de ses lèvres sur sa bouche faisait naître en elle un désir violent. Elle voulait savoir comment l'astreindre à l'embrasser de nouveau, fut-ce dans un mouvement de colère. Douze ans de différence, ce n'était pas beaucoup : Cal pouvait surmonter cette différence s'il le voulait.

Mais il préférait les femmes plus mûres, se rappela-t-elle tristement.

Lorsqu'ils arrivèrent à Vancouver, une pluie douce et chaude tombait, teintant de vert l'océan Pacifique. Pendant leur rapide traversée de la ville elle remarqua que presque toutes les rues et les avenues donnaient sur l'océan ou sur les montagnes. De nombreux chinois trottinaient sous d'immenses parapluies noirs. Il pleuvait souvent à Vancouver, sans doute étaient-ils habitués.

Prenant le ferry-boat, ils passèrent sous le pont de Lion's Gate et débouchèrent dans la Baie Anglaise, s'acheminant parmi des îlots innombrables recouverts de pins. Après avoir dépassé Vancouver, ils se trouvèrent de nouveau dans un pays sauvage et grandiose, de part et d'autre des montagnes enneigées sur les cimes. En approchant de l'Ile de Vancouver, Regan aperçut des petites baies et des criques tout le long de la côte, ainsi que des étendues de sable étincelantes. De temps à autre elle voyait un petit port de pêche, isolé contre le fond sombre des forêts.

— Puis-je m'installer tout de suite dans cet appartement dont vous m'avez parlé ? demanda-t-elle.

— Ce serait possible, mais vous allez d'abord passer quelques jours à Kenny pendant que j'organise votre vie future. De toute façon, il y a quelqu'un à qui je voudrais vous présenter.

— Votre belle-mère ?

— Techniquement, oui, mais elle n'est pas du genre maternel, croyez-moi !

Il manqua à Regan l'audace de lui demander dans quelle catégorie il classait sa belle-mère. Elle allait avoir la possibilité d'en juger par elle-même.

— Voilà notre Parlement, indiqua Cal — et la statue est celle de George Vancouver, le capitaine anglais qui a été le premier à naviguer autour de l'île. Nos aïeux sont de la même patrie, Regan.

De la même patrie, conclut-elle en elle-même. Elle avait envie de se perdre dans cette grande ville : elle ne serait pas à sa place à Kennys' Bay. Et surtout, surtout, elle ne voulait pas faire la connaissance de Dallas.

Victoria était une jolie ville : ses fleurs, ses grandes pelouses vertes et ses arbres feuillus contribuaient à créer l'atmosphère d'une belle ville paisible d'Angleterre. Même dans le quartier commerçant, des corbeilles fleuries pendaient aux réverbères.

A l'Est la voie routière, Island Highway, suivait la côte vers le nord sur plus de trois cents kilomètres, dans des paysages grandioses, offrant à travers le détroit la vue des chaînes de montagnes du continent. La route grimpait au-dessus du bras de mer de Saanich. On y avait aménagé des aires de repos et des sites panoramiques pour ceux qui avaient le temps ou le désir de s'y attarder.

Cal n'avait ni l'un ni l'autre. En relativement peu de temps, ils quittèrent la grand-route, pour emprunter un chemin de terre descendant vers une petite crique privée, où s'élevait une maison basse aux murs crépis de blanc, coiffée d'un toit bleu et entourée d'un gazon de velours vert vif émaillé de massifs rocailleux et d'arbustes écarlates. Nulle part dans la forêt, Regan n'avait vu d'arbres comme ceux qui bordaient l'allée. Leurs troncs étaient recouverts d'écailles rougeâtres, qui produisaient un effet marbré.

Un homme sortit en courant de la maison pour prendre les valises des mains de Cal. Regan avait les yeux rivés sur la femme qui se tenait dans l'encadrement de la porte d'entrée. Ce n'était pas une femme d'un certain âge : elle n'avait pas plus de trente ans. Ses cheveux blond platine étaient relevés sur son visage lisse, sa silhouette élégante et plantureuse se dessinait sous un pantalon beige assorti d'un chemisier du même ton, à l'aspect à la fois simple et coûteux. Ce fut pour Regan un rude coup : elle devint consciente, pour la première fois depuis longtemps, de son air peu soigné et de ses vêtements bon marché, salis par la poussière du voyage.

— Bonjour, Cal. Je ne vous attendais pas avant un jour ou deux. Tu aurais dû me prévenir.

— Ne te tourmente pas, Dallas. Je te présente Regan Ferris. Elle passera quelques jours avec nous en attendant son installation en ville.

Les yeux froids et bleus de Dallas scintillèrent : un regard de mépris, de moquerie ? Regan ne savait pas.

— Alors, c'est donc vous, le pauvre petit chou qui a dû subir cette grande brute pendant quatre jours dans la forêt sauvage !

— Trois jours, corrigea Regan, d'un ton ferme — et ce n'était pas si mal que cela. Je regrette d'arriver à l'improviste comme cela, madame Garrard, j'espère que je ne vous gênerai pas.

Dallas haussa les épaules.

— La maison est à Cal, mon chou, pas à moi. Entrez donc, et faites comme chez vous.

L'intérieur de la maison se révéla être aussi luxueux que l'extérieur. L'entrée spacieuse communiquait avec un vaste living en forme d'U. Par terre il y avait un luxueux tapis, couleur d'or, et les meubles de bois vernis miroitaient au soleil. Des fauteuils et des canapés ajoutaient des touches subtiles de couleur à la pièce, au-delà de laquelle Regan apercevait une terrasse fleurie et le reflet bleu d'une piscine.

— Cal, le courrier est dans ton bureau, mais je suppose que tu veux te changer avant d'y jeter un coup d'œil ?

— Naturellement. Je redescends en ville tout de suite après, j'ai des affaires à régler.

— Et le souper ?

— Attendez-moi jusqu'à sept heures et demie, sinon commencez sans moi.

Il se retourna vers Regan.

79

— A votre place, je me reposerais un peu. Vous avez eu une longue journée.

Et la soirée risquait d'être plus longue encore, si Cal ne rentrait pas pour le souper, pensa-t-elle.

— Je vais essayer, dit-elle.

Les sourcils de Dallas se levèrent.

— Cal vous a bien dressée! lança-t-elle.

Cal répondit pour Regan.

— Ne crois pas cela, Dallas. Cette enfant sait ce qu'elle veut!

Dallas resta de marbre.

— Je vais vous montrer votre chambre. Heureusement, il y a toujours une chambre d'amis prête à servir. Dans cette maison on ne sait jamais qui va arriver, déclara-t-elle doucereusement.

Emboîtant le pas à la maîtresse de maison, Regan se trouva dans un couloir donnant sur le patio central. Dallas ouvrit une des portes du couloir et lui montra une grande chambre très aérée, tapissée de vert et de blanc. Les meubles étaient du même bois que ceux du living. Par une fenêtre d'angle tendue d'un tissu chamarré de vert et de blanc également, Regan entrevit les jardins artistiquement disposés et, au-delà, la mer contrastant sur le fond des montagnes. Elle eut le souffle coupé par la beauté de la perspective qui s'offrait à ses yeux.

— Oh, c'est magnifique! Comme vous devez être heureuse de vivre ici toute l'année!

— Je préférerais vivre en ville, répondit l'autre avec un petit air moqueur; il faut avoir votre âge pour s'extasier sur une vue de la mer!

— Mais ce n'est pas uniquement la vue, c'est la maison, le jardin, tout. Cal m'a dit que j'allais aimer Victoria, sans rien me dire de l'île elle-même. Et il fait tellement plus chaud ici qu'ailleurs. Quelles fleurs magnifiques partout!

— Ce n'est que le printemps, attendez l'été. Vous avez l'intention de rester sur l'île, n'est-ce pas ?

— La décision a été prise pour moi, sourit Regan. — Mais vous n'avez pas d'accent canadien ?

— Je suis canadienne par mariage. Je suis arrivée d'Angleterre il y a environ trois ans.

Trois ans ? Cela voulait dire qu'elle avait épousé le père de Cal quelques mois seulement avant sa mort. Quel malheur, quel tragique accident !

— De quelle région d'Angleterre êtes-vous ? fit-elle.

— Du comté de Surrey, si cela vous intéresse.

Regan songea à l'été de ses quatorze ans, lorsqu'ils étaient encore tous unis, son père, son frère et elle.

— Une année, nous avons loué une maison dans le Surrey, murmura Regan, à Chaldon, près de Reigate.

Dallas laissa paraître sa surprise.

— Mais je la connais ! ce doit être la maison des Bailey. Ils l'ont louée, lorsqu'ils étaient en Amérique du Sud... mais je pensais que c'était à un homme d'affaires.

— C'était mon père. Il est mort l'année dernière. Je suis venue au Canada pour rendre visite à mon frère, qui travaille au barrage de Keele, près de Fort Lester.

— Oh, je vois... un revers de fortune. Pauvre chou !

Regan devint toute rose, mais ne répondit pas. L'air de condescendance de Dallas lui indifférait.

— Vous avez de la chance, en tout cas, ajouta-t-elle, d'avoir Cal comme parrain dans votre nouveau pays.

— C'est son idée à lui. Il pense devoir s'occuper de moi en raison de l'accident survenu à son avion.

— On peut toujours compter sur Cal pour faire honneur à ses obligations ! Quelle veine de tomber sur lui. Un autre homme, moins... intègre, aurait pu profiter de ces nuits à la belle étoile avec vous. Mais Cal, tel que je le connais, a dû vous respecter.

Le point d'interrogation était à peine perceptible.

Regan faillit ignorer la question, mais elle crut lui devoir une réponse honnête, à cause de Cal.

— Naturellement. Comme vous le dites, c'est un homme qui sort de l'ordinaire. Cela doit être étrange pour vous d'avoir un beau-fils presque du même âge que vous ?

— Non, pas du tout. Notre parenté s'est dissoute lors de la mort de son père.

Le visage de Dallas était toujours composé, mais son regard s'était durci.

— Je vous laisse, fit-elle, le souper sera servi à sept heures et demie, comme vous l'avez entendu. Les « dîners » sont réservés aux grandes occasions uniquement.

Une fois seule, Regan se rendit compte qu'une femme comme Dallas était un dangereux adversaire. De son vivant, son père attirait ce genre de femmes comme des mouches — à cause de sa fortune — mais aucune femme ne compta vraiment dans sa vie. Comment s'était-il comporté avec sa mère, cette mère que Regan n'avait jamais connue ?

La question de sa garde-robe fut vite résolue. Le seul vêtement possible était la robe de coton qu'elle avait achetée à Fort Lester. Bien que propre et presque neuve, elle était inadéquate pour une soirée habillée. Quel choix de toilettes elle avait eu un an plus tôt, se dit-elle avec un petit pincement au cœur. Il ne fallait pas attacher d'importance à des possessions matérielles, pensa-t-elle, mais c'était un travers bien humain. Les beaux atours donnaient de l'assurance à une femme, et Regan savait qu'elle aurait besoin de tout son aplomb pendant son bref séjour à Kenny.

7

Cal, imperturbable comme toujours, fut de retour vers dix heures. Dallas lui posa d'un ton glacial une question concernant ses affaires.

— J'ai eu une réunion avec Smithson et nous avons dîné en ville. Et vous deux, avez-vous fait plus ample connaissance ?

— Un petit peu, suffisamment, étant donné que ce n'est que pour quelques jours, rétorqua Dallas mielleusement. Maintenant que tu es de retour, nous pourrions inviter des amis et introduire Regan à la vie sociale du Canada.

— Elle a tout le temps pour cela, mais ce n'est pas une mauvaise idée. Tu peux arranger une soirée pour demain ou après-demain, si tu veux.

Cal se retourna vers Regan :

— J'ai reçu le chèque de la compagnie d'assurances aujourd'hui. Demain matin, nous allons en ville pour vous ouvrir un compte. Vous pourrez faire des courses en même temps, si vous voulez. Demain, les magasins seront fermés l'après-midi, vous disposez de toute la matinée. Nous déjeunerons ensemble, puis je vous montrerai les bureaux.

— Et l'appartement que je vais louer ?

— Peut-être aussi. Il fait beau ce soir, qui veut se baigner ?

Dallas le foudroya du regard, mais impulsivement Regan s'exclama :

— J'aimerais bien, mais je n'ai pas de maillot.

Cal ne répondit pas de suite. Regan commença à craindre qu'il ne plaisantât.

— Il y en a toujours pour des amies. Il doit y avoir votre taille, fit-il après un instant. Je le ferai porter dans votre chambre. Rendez-vous à la piscine.

Ignorant la moquerie dans les yeux de Dallas, Regan se réjouissait de prendre le premier bain de l'année — avec ou sans Cal d'ailleurs. La femme de chambre lui apporta un bikini bleu turquoise et une robe de plage assortie en tissu éponge. Le bikini lui allait à merveille. De toute évidence, il n'appartenait pas à Dallas. Elle était bien plus grande que Regan.

Sans repasser par le living, elle sortit sur la terrasse par une des portes-fenêtres du couloir. Le fond de la piscine était éclairé à présent, donnant à l'eau un reflet doré. Cal n'était pas encore là. Qu'il vienne ou non, cela m'est égal, se dit-elle. Mais elle n'était pas dupe de son propre mensonge.

Otant la robe en éponge, elle monta sur le plongeoir. L'air était frais, mais pas plus frais qu'en Angleterre en plein été. Après avoir pris sa respiration, Regan piqua une tête et nagea le long de la piscine, sous l'eau.

Debout sur la berge, Cal l'accueillit d'un « bravo » lorsqu'elle refit surface.

— Un véritable petit poisson. Vous avez fait un magnifique plongeon.

— Je vous ai dit que j'étais sportive.

Cal était beau dans son maillot de bain noir qui laissait voir ses épaules larges, sa poitrine puissante, ses jambes fuselées, musclées et droites. Regan reconnut qu'il exerçait sur elle une indiscutable attirance physi-

84

que, la faisant vibrer de tout son corps. Avec précipitation elle se passa la main sur le visage pour dissimuler son émotion :

— Vous ne venez pas vous baigner ?

— Maintenant que je suis là, il le faut bien. Nous avons rempli la piscine pour la première fois cette année juste avant mon départ. Normalement nous ne nous baignons pas le soir à cette époque de l'année.

— Pardonnez-moi, je vous avais pris au sérieux.

— Cela m'apprendra à faire des propositions à la légère. Allez, faisons la course jusqu'à l'autre bout !

Regan lutta vaillamment contre le crawl puissant de Cal, mais en vain.

— Vous avez triché, protesta-t-elle, vous auriez pu me battre beaucoup plus facilement.

— Pas si facilement que cela, vous avez un très bon style. Où vous êtes-vous entraînée ?

— A l'école la plupart du temps. J'ai également recommencé à nager ces derniers mois en Angleterre.

— Qu'avez-vous fait d'autre depuis que vous êtes seule ? A part chercher votre frère, bien entendu. Vous avez dû travailler pour gagner votre vie, n'est-ce pas ?

— J'avais peu d'argent, c'est vrai. J'ai travaillé comme serveuse, mais je n'étais pas à la hauteur, je mélangeais constamment les commandes et laissais tomber les plats. Cela me fait une piètre recommandation pour travailler dans votre entreprise, n'est-ce pas ?

— Personne ne vous demandera de servir le thé. Vous n'avez rien pu trouver par les associés de votre père, ou par des amies à vous ?

— Elles n'ont plus voulu me fréquenter, après la faillite de mon père. Je n'ai pas connu beaucoup de gens vraiment... loyaux.

— Je vois. Venez, il faut sortir de l'eau, vous commencez à frissonner.

Cal fit un rétablissement au bord de la piscine et

tendit sa longue main bronzée à Regan. Elle n'osa pas la refuser, et il la hissa à ses côtés, et l'enveloppa dans la robe de plage. Il sourit en voyant l'expression des yeux de Regan. Il la rassura :

— N'ayez pas peur, c'était à un autre moment... et vous l'aviez cherché.

Cal remonta une mèche des cheveux de Regan, comme il l'avait fait un autre jour sous la pluie.

— Si vous ne le savez pas, tant mieux. Votre manque de sophistication est étonnant, avec les gens que vous deviez fréquenter du temps de votre père. Cela dénote une grande force de caractère.

— Ou de la naïveté. Oh, Cal, ne me traitez pas en enfant ! J'ai vingt ans. Physiquement je suis une femme, même si je ne me conduis pas toujours en adulte.

Le visage de Cal perdit toute expression, sa main tomba des cheveux de la jeune fille.

— Il est l'heure de se coucher.

— Non, allez-y si vous voulez, moi je reste ici.

— Vous allez prendre froid, c'est stupide.

— Je me réchaufferai dans l'eau.

Elle fit un pas vers la piscine, mais Cal l'attrapa violemment et l'entoura de ses deux bras. Sa bouche était dure et ardente contre la sienne. La pression de ses mains sur sa chair lui faisait mal. Lorsqu'il la relâcha, Regan tituba, ses jambes très molles.

— Satisfaite ? demanda-t-il.

Elle s'essuya la bouche du dos de la main.

— Evidemment, vous m'avez mal comprise.

— Je comprends plus que vous ne le croyez. Votre père vous a tenue en laisse, c'est évident, mais si vous voulez vous livrer à des expériences de ce genre, choisissez quelqu'un de votre âge.

— Vous auriez dû y penser l'autre soir.

— Je sais, et je le regrette vivement.

Cal drapa sa serviette autour de ses épaules et ajouta :

— Prenez une douche chaude avant de vous coucher. Vous trouverez un sèche-cheveux dans votre chambre.

Regan leva la tête.

— Dès demain, j'irai habiter en ville.

— Ce sera peut-être mieux. Les appartements sont meublés.

— Je trouverai un appartement toute seule, et une situation aussi.

— Tout cela est arrangé.

— Je ne veux pas être votre obligée.

— Parce que je refuse de vous faire la cour ?

— Je ne vous l'ai pas demandé. Je désire simplement être traitée en adulte.

— Je sais ce que vous cherchez. Toutes les dispositions sont prises pour votre avenir, et vous allez faire ce que je vous dis. Cela mis à part, vous pouvez faire ce que vous voulez. Et maintenant, laissez-moi, j'en ai assez !

Regan regagna sa chambre avec l'espoir que Dallas n'avait pas été témoin de cette scène. Elle se doucha et se sécha les cheveux rapidement avant de se glisser entre les draps fins. Les événements de la soirée lui revinrent à l'esprit. Il fallait bien admettre qu'elle était amoureuse de Cal, et il le savait. La fonction de son baiser brutal avait été de l'arrêter net, mais l'effet avait été l'inverse. Pour la première fois, Cal l'avait traitée en femme, simplement pour lui montrer qu'elle ne lui était rien, rien du tout. Au début il lui serait nécessaire d'accepter son aide pour obtenir une situation, mais dès que possible elle se promettait de chercher une autre place et un autre appartement, de disparaître de Victoria et de ne plus jamais le revoir. C'était le seul moyen de l'oublier.

Elle eut de la peine à le rencontrer devant Dallas le

lendemain matin. Regan était sûre que l'autre femme était au courant de tout et qu'elle s'était divertie de la situation. Cal annonça le départ de Regan, sans commentaire de la part de Dallas.

— J'aimerais profiter de la voiture pour aller en ville également, Cal. J'ai des courses à faire. Allons-nous déjeuner ensemble ? sussura-t-elle.

— Regan et moi allons d'abord à la banque, puis je vous déposerai toutes les deux près des magasins et vous retrouverai au restaurant. Nous irons à l'appartement cet après-midi.

— Ne puis-je y aller directement après la banque ? Je veux faire mes emplettes demain.

— Demain vous avez rendez-vous avec le directeur du cours de secrétariat. Allons-y maintenant. Vos affaires sont-elles prêtes ?

Regan s'en alla chercher sa petite valise. Son lit était déjà défait, et une autre femme d'entre deux âges en blouse imprimée passait l'aspirateur dans la chambre. Sans doute avait-elle l'habitude des allées et venues dans la maison.

Le trajet sembla deux fois plus long à Regan, assise au fond du grand break américain, que la veille lorsqu'ils avaient remonté la route en taxi. Dallas se montra pleine d'entrain, racontant à Cal des anecdotes amusantes, comme pour souligner le silence de Regan. Cal ne paraissait ni remarquer l'atmosphère, ni en être affecté.

La banque était grande et moderne. Un des employés leur montra des papiers pour les soumettre à la signature de Regan, à qui il confia un carnet de chèques. Cal dissimula le montant du chèque qu'il déposa à son compte, et Regan murmura à l'employé :

— Je devrais savoir mon solde exact, sinon je risquerais de me retrouver à découvert.

Il la regarda curieusement. Après un signe d'assentiment de Cal, il écrivit un chiffre sur un morceau de papier. Comme elle s'en doutait, le montant dépassait de loin le montant de ses pertes.

Avant qu'elle puisse dire quoi que ce soit, il saisit son bras fermement, et elle se retrouva dehors, non sans avoir entendu Cal grommeler :

— Gardez vos observations pour plus tard.

Dans la voiture, Dallas attendait. Il se tourna vers Regan et demanda :

— Alors ?

— Pas de commentaires.

Pour rien au monde elle n'aurait entamé une discussion devant cette femme.

— Bien. Et maintenant, nous allons vous trouver des vêtements convenables.

— Nous ? demanda Dallas — tu viens avec nous, Cal ?

— Oui, j'ai changé d'avis. Sinon, Mademoiselle l'Indépendante là-bas dépenserait le moins d'argent possible. Je ferai les chèques moi-même, Regan, et vous pourrez me rembourser après. Etes-vous d'accord ?

— Oui, si vous le dites.

Regan ne voulait plus discuter avec lui. Elle n'était pas forcée d'utiliser l'argent de son compte, bien qu'elle se demandât comment vivre à Victoria sans le faire, tout au moins au début. Elle avait la ferme intention de lui rembourser la moitié de l'argent qu'il avait mis à sa disposition, même s'il lui fallait l'éternité pour amasser une telle somme.

Dans d'autres circonstances, elle aurait pris plaisir à faire du shopping toute la matinée. Elle essaya des robes de coton et de toile, admira la ligne à la mode qui mettait en valeur sa silhouette mince, troqua ses chaussures grossières achetées à Fort Lester pour des sandales coquettes et glissa ses jambes dans un collant fin. Tout cela lui aurait plu, si elle avait été seule, avec de l'argent bien à elle. Dallas s'ennuya rapidement et elle les quitta pour aller faire ses propres courses. Mais Cal resta avec Regan, signant chèque après chèque. A la fin de la matinée, elle avait dépensé une petite fortune — enfin, Cal avait dépensé une petite fortune.

— J'espère que vous allez me permettre de vous rembourser tout ceci. Sinon, je vous enverrai de l'argent par la poste, remarqua Regan.

— Ne me menacez pas. Nous en reparlerons cet après-midi.

Mais Regan était résolue à ne pas se laisser faire. Il accepterait son chèque, ou bien...

En quittant le rayon de confection pour femmes, Cal repéra un petit tailleur vert avec un chemisier assorti en soie naturelle. Regan l'essaya à contrecœur, son prix était trop élevé pour sa bourse.

Elle fut néanmoins obligée d'admettre que l'ensemble mettait en valeur son teint et ses cheveux aux reflets auburn. La vendeuse, enthousiaste, écarta les rideaux de la cabine d'essayage.

— N'est-ce pas parfait pour mademoiselle ?

— Excellent, nous prenons. Gardez-le sur vous, ordonna Cal et sans broncher.

Se rappelant l'ensemble en tricot italien que portait Dallas, Regan admit le bien-fondé de son idée. Le tailleur vert n'était peut-être pas du même style que la garde-robe de Dallas, mais Regan se sentit plus à son avantage en compagnie de Cal, qui était vêtu, avec un soin extrême.

Ses sandales neuves s'harmonisaient bien avec son ensemble. Avant de quitter le grand magasin, elle se rendit aux toilettes pour se mettre du rouge à lèvres et se recoiffer. Ses cheveux commençaient à retrouver leur brillant. Elle était presque jolie à nouveau, mais ses grands yeux verts n'étincelaient plus, et elle savait pourquoi. Elle se dit qu'il ne lui serait pas très difficile d'oublier Cal, elle ne le connaissait que depuis huit jours. De toute façon, il fallait l'oublier !

Cal l'attendait sur le trottoir devant le magasin, et il émit un petit sifflement d'admiration.

— Vous êtes mieux comme cela. Votre frère aurait moins de mal à vous reconnaître maintenant. Le papillon renaît de sa chrysalide !

D'une certaine façon, Regan était soulagée que Ben ne soit pas là pour ses débuts. Il lui fallait apprendre à le connaître à nouveau, mais pour l'instant, elle était aux prises avec un monde étrange et la lutte s'avérait être difficile. Lorsque Ben descendrait sur la côte, elle aurait peut-être sa vie mieux en main... et ses émotions également.

Dallas ne fit aucun commentaire sur la métamorphose de Regan, mais sa bouche se durcit légèrement. Cal conduisit les deux femmes dans un restaurant du quartier, une main placée sous le coude de chacune. Dallas et lui furent souvent salués par des passants. Sans doute comptaient-ils parmi les notables de la ville.

Après un repas composé de viande froide et de salade, Regan choisit une tarte aux myrtilles avec de la glace à la vanille — Dallas ne prit pas de dessert. Cal lui demanda brusquement ce qu'elle pensait de la transformation de la jeune fille.

— C'est nettement mieux.

Braquant froidement ses yeux bleus sur Regan, elle ajouta :

— C'est un joli petit ensemble que vous portez là, bien que le vert soit un choix facile, pour quelqu'un avec votre couleur de cheveux.

— C'est Cal qui l'a choisi. Il avait l'air de le trouver à son goût, riposta la jeune fille avec une pointe de malice.

Cal rit.

— Dallas a raison, c'était un choix facile, mais nous autres hommes, nous sommes logiques et non subtils !

— Tu sais être subtil à tes heures, Cal, répondit la belle blonde.

Regan surprit le conflit entre les yeux bleus et les yeux gris : un muscle frémit brièvement à la mâchoire de Cal. Sans se départir de son calme, il continua :

— Nous allons faire le nécessaire pour le passeport de Regan cet après-midi, signer les papiers et tout cela. Que fais-tu, Dallas ?

— Je vais rendre visite aux Calbourne à Oak Bay. Au fait, sais-tu que la propriété à côté de la leur est à vendre, ajouta-t-elle nonchalamment.

— Non, répliqua-t-il, indifférent.

— Tu pourrais faire une offre avant qu'il ne soit trop tard.

— Je n'ai pas besoin d'une seconde maison, Dallas. J'aime bien celle que j'ai.

— Oh, Kenny est agréable, mais c'est si loin. Oak Bay ou Uplands serait plus commode.

— Je n'ai pas besoin d'une deuxième maison... et toi, tu as ta propre voiture pour venir en ville.

— Tu le fais exprès ! C'était pour toi. Pour que tu te rapproches de là, bien entendu, fit-elle avec colère.

Ils semblaient avoir oublié la présence de Regan.

— Personne ne t'empêche de venir habiter en ville, si tu le veux, Dallas.

Le beau visage de la femme s'empourpra, et un air implorant traversa son regard.

— Tu sais bien que ce n'est pas cela que je veux, Cal.

— Nous en reparlerons une autre fois. Attends, je vais te faire appeler un taxi.

Regan ne fut pas bavarde lorsqu'elle partit avec Cal. Pour la première fois, Dallas avait laissé tomber son masque, sa sophistication habituelle pour laisser entrevoir ses véritables pensées. Elle aussi était amoureuse

92

de Cal, suffisamment pour lui dévoiler son cœur blessé par ses propos tranchants. Et Cal savait bien qu'il l'avait blessée. Mais pourquoi? A cause de leur lien de parenté? Parce qu'il ne supportait pas son mariage avec feu son père? Toute la situation paraissait faussée, embrouillée. Quelle pouvait être la part d'héritage de Dalles! Une bagatelle! Quel homme avait-il été, pour laisser sa veuve vivre de la charité de son beau-fils?

Seul Cal connaissait les réponses, et vraisemblablement il ne les lui donnerait pas, même si elle avait le courage de lui poser la question.

8

En traversant la ville pour se rendre à l'appartement, ils passèrent devant les bureaux de la Société Garrard. L'immeuble se situait derrière un massif de crocus et de jonquilles en pleine floraison. C'était un grand bâtiment de six étages en pierre blanche. Cal l'informa qu'il y avait huit appartements en tout.

Le sien était très grand, composé d'un beau living, d'une chambre, d'une salle de bains et d'une cuisine entièrement équipée. Deux portes-fenêtres s'ouvraient sur une terrasse surplombant la ville, un parc, la mer et les montagnes. Le loyer d'un tel logement devait être astronomique, se dit Regan, bien au-dessus de ses moyens.

— C'est très beau. Dommage que je ne puisse y rester. Je trouverai à m'installer pour moins cher ailleurs.

— Vous allez y rester, répondit Cal péremptoirement — il y a le minimum vital à la cuisine. Faites-moi une tasse de thé, voulez-vous ?

— Du thé ?

— Bien sûr. C'est l'heure du thé... ou croyez-vous en avoir le monopole en Angleterre ?

— Oh, non, Laura Patterson en faisait toutes les après-midi.

— Alors ? Ce n'est pas mon genre de breuvage, c'est cela. Ne vous en faites pas, je ne suis pas altruiste à ce point-là !

— Trop généreux.

— C'est facile d'être généreux lorsqu'il n'y a pas de sacrifice à faire. N'avez-vous jamais songé que votre frère puisse contribuer aux frais de subsistance pour vous ?

— Pas au point de me payer le loyer d'un tel appartement. Il n'en a pas les moyens.

— Vous ne savez rien de ce que peut gagner un homme dans la situation de votre frère. Alors, taisez-vous.

— Je peux lui écrire pour le lui demander.

— Allez-y. En attendant, je suis plus intéressé par le thé que vous allez me préparer.

Ce n'était pas la peine de discuter avec lui, pas en ce moment, en tout cas. Une fois employée, elle pourrait exiger son indépendance.

En d'autres circonstances, Regan aurait apprécié la cuisine agréable et moderne. Elle y trouva le thé, et l'arrangea sur un plateau avec des tasses de porcelaine. Lorsqu'il fut servi sur la petite table basse du living, elle demanda à Cal :

— Quand est-ce que je commence mon travail ?

— Lorsque vous aurez votre permis de travail, et que tous vos papiers seront en règle.

— Cela risque-t-il d'être long ?

— Non. Les étrangers sans autorisation ne sont pas considérés comme désirables. La réponse viendra très rapidement.

Regan contracta sa mâchoire, tandis que Cal ajouta rapidement :

— Excusez-moi, c'est une observation déplacée. Ce n'est guère de votre faute si vous êtes sans papiers.

— De la vôtre non plus, mais vous vous conduisez comme si j'étais sous votre responsabilité.

— Je suis mieux placé que votre frère pour faire le nécessaire, c'est tout.

Il avait raison, il fallait en convenir.

— Comment m'occuperais-je avant de pouvoir travailler ?

— Je vous l'ai déjà dit, en allant au collège.

— Sans papiers ?

— Oh, je peux arranger cela.

Regan reconnut qu'il avait la possibilité d'arranger n'importe quoi. Elle détourna la conversation en lui demandant brusquement :

— Oak Bay... est-ce le quartier des gens riches ?

— C'est la colonie anglaise, en quelque sorte.

— Est-ce pour cela que Dallas désire y habiter ?

— En partie, oui.

Il lui offrit une cigarette et en prit une aussi avant de continuer :

— Ne vous occupez pas de ce que vous ne pouvez pas comprendre. Dallas est capable de veiller sur elle-même.

— J'en suis sûre. J'ai posé la question par curiosité. Je ne désire pas me mêler de vos... affaires.

— Je vous ai déjà dit que je n'aime pas vos insinuations.

— Surtout de la part des petites filles ! Et moi, je vous ai déjà dit que je ne suis *pas* une petite fille. Je vous suis reconnaissante de tout ce que vous faites pour moi, mais cela ne vous donne pas le droit de me prendre de haut ! Vous ne faites que cela depuis que je vous connais, en voilà assez !

Il ne bougea pas pendant un instant, puis, posément, il éteignit sa cigarette dans le cendrier de cristal et lui répondit :

— Voulez-vous avoir une conversation franche ?

Lorsque nous nous trouvions dans la forêt, un sentiment — appelez-le comme vous voulez — est né entre nous. C'était inévitable dans de telles circonstances. Peu d'hommes pourraient tenir une belle jeune femme dans leurs bras toute la nuit, sans en être émus. Tout ce dont vous aviez besoin à ce moment-là, c'était d'être aidée, rassurée. Si j'avais pris ce que vous m'offriez, en seriez-vous plus heureuse ? Simplement parce que je vous aurais traitée en femme ? Serait-il plus facile de me payer en nature en ce moment ? On ne vous a pas permis de grandir de façon normale. Vous avez tous les instincts d'une femme, mais vous ne savez qu'en faire.

Regan riposta sèchement :

— Je pourrais peut-être prendre des leçons auprès de Dallas !

Avec effroi Regan le vit se lever et ôter sa veste, qu'il jeta avec désinvolture sur le fauteuil, avant de lancer :

— Vous avez certainement besoin d'une leçon de la part de quelqu'un, alors autant vous la donner tout de suite.

Il la tira brutalement vers la porte de la chambre à coucher, tout en marmonnant :

— Là-dedans ! Le décor sera approprié !

Elle essaya en vain de s'arracher à son étreinte. La poussant la tête la première dans la pièce, Cal ferma la porte à clé derrière lui.

— Arrêtez, j'ai compris ce que vous voulez me dire !

— Je n'ai même pas commencé à vous mettre les points sur les « i ». Ça aussi, il vous faut l'apprendre. Vous ne pouvez pas tout arrêter simplement en demandant pardon. Vous ne vous en tirerez pas comme cela, comme vous l'avez fait hier soir. Vous ne saviez pas ce que vous faisiez à ce moment-là, mais cette fois vous avez dépassé les bornes.

Regan recula craintivement.

— Parce que... parce que j'ai dit cela de Dallas ? Mes mots ont dépassé ma pensée.

— Cela, je m'en fiche. Il n'est pas question de Dallas pour le moment. Nous allons terminer ce que nous avons commencé dans la forêt.

Regan repoussa la main de Cal, occupée à défaire la cravate de son chemisier.

— Oh non, non, Cal, pas comme cela ! Je vous en prie.

— Il fallait y penser avant de m'aiguillonner comme vous venez de le faire.

La basculant sur le lit, il la maintint en place en se jetant sur elle.

— Voilà ce que c'est d'être une femme, gronda-t-il.

Il l'embrassa fougueusement, déchirant la soie fragile de son chemisier de ses mains caressantes. Ses baisers lui brûlaient la peau. Presque malgré elle, les bras de Regan entourèrent le corps de Cal, tandis que ses doigts fuselés s'enfonçaient dans les muscles de son dos. Elle enfouit son visage dans ses cheveux, respirant le parfum de propreté masculine qui s'en dégageait, et appuyant ses lèvres contre sa tempe avec des mouvements légers comme le battement des ailes d'un papillon. Elle ne pensait plus qu'à une chose : Cal l'embrassait, et elle l'aimait. Le reste ne comptait pas.

Il la relâcha, avec un geste de dédain. La bouche de Cal devint une ligne mince et menaçante, ses yeux brillaient de colère. Elle eut un pressentiment de ce qu'il allait faire, avant qu'il ne la retourna sur le ventre, en la tenant par les épaules. La tête enfouie dans l'oreiller, elle poussa un cri sourd, lorsque sa main s'abattit sur elle de façon cinglante. Avec une exclamation de mépris, il se leva. Regan l'entendit ouvrir la porte, puis sortir.

Elle ne bougeait pas. Il s'affaira dans le living avant de revenir à l'entrée de sa chambre.

— Je m'en vais, dit-il, j'espère que vous retiendrez la leçon que je viens de vous donner, mais cela m'étonnerait. Vous avez rendez-vous au collège à onze heures demain. Je passerai vous prendre à moins le quart.

— J'irai toute seule ! Dites-moi où il se trouve, répondit-elle d'une voix voilée.

— Ah, oui ? Arrêtez, par pitié. Vous n'avez pas reçu la moitié de ce que vous méritez.

Regan releva la tête.

— Dois-je vous en être reconnaissante, vous dire merci ?

— Absolument. Vous en êtes quitte pour la peur !

— Parce que vous n'êtes pas un homme sans scrupules ?

— Pensez ce que vous voulez. Je vous ai déjà expliqué que je ne tiens pas à ce genre de responsabilité, quelle que soit la tentation de ce que vous représentez.

— Je n'ai rien provoqué. Tout s'est fait naturellement, fit Regan d'un ton presque implorant.

— D'accord. Je n'aurais pas dû vous toucher. Je n'essaie pas de trouver d'excuses à ce que j'ai fait. Cependant, il faut absolument cesser de vous croire attirée par moi. Ce serait différent si vous aviez quelques années de plus, mais je n'ai pas l'intention d'avoir une aventure avec une fille de douze ans ma cadette.

— Il faut bien que je commence un jour.

— Pas encore. Vous avez besoin d'un an ou deux pour vous amuser sans vous engager. Sortez avec des gens de votre âge, allez au théâtre, au cinéma, allez danser en bande. Un jour, un de ces jeunes gens s'avérera être votre idéal, et ce jour-là, vous comprendrez enfin de quoi je parle. Ne faites pas de confusion entre un véritable sentiment et ce que vous croyez éprouver à mon égard.

Regan s'assit sur le bord de son lit et regarda la

grande silhouette dans l'encadrement de la porte. Elle s'adressa à lui d'une voix faible :

— Entendu. Permettez-moi de vous poser une dernière question.

— Allez-y.

— Etes-vous amoureux de Dallas ?

— Si je l'étais, ce serait mon affaire, riposta Cal, le visage vide. Je vous laisse les renseignements pour le collège sur un papier à côté du téléphone. Si vous avez besoin de me parler, appelez-moi au bureau plutôt qu'à la maison. La standardiste vous passera mon poste si vous lui donnez votre nom.

Regan l'écouta marcher dans l'entrée. Il s'arrêta un instant, ouvrit la porte et la referma. Il était parti.

Elle regarda dans la glace ses cheveux ébouriffés et ses mains tremblantes. Cal n'avait pas eu besoin de répondre à sa question : toute son attitude révélait ses sentiments pour Dallas. Regan comprit tout d'un coup. Il aimait Dallas. Elle avait été la femme de son père, et cela la mettait hors de sa portée. En ce cas, pourquoi Dallas l'avait-elle mis à la torture en partageant sa maison pendant deux ans ? Pourquoi ne pas quitter Cal, ôter la tentation que sa présence représentait pour eux deux ? La seule réponse qu'elle put formuler lui parut trop douloureuse : elle essayerait de ne plus y penser. Ni à Dallas, ni à Cal.

Avec soulagement, Regan reçut ses papiers d'identité quelques jours plus tard : ils lui donnaient le droit de rester au Canada pendant un an. La convocation aux bureaux de la Société Garrard ne lui vint pas de Cal, mais de l'assistant comptable, Maurice Bellamy, qui l'accueillit non sans réserves dans une grande pièce climatisée au deuxième étage. Blond, l'air intelligent, la quarantaine, il regarda Regan avec sagacité derrière ses lunettes à monture d'écaille.

— M. Smithson et moi-même sommes les seuls dans l'entreprise à connaître votre... relation avec M. Garrard. Il vaut mieux ne pas en parler autour de vous. La situation que nous vous offrons nécessite une employée sachant taper à la machine : je crois que vous ne faites que commencer votre apprentissage, n'est-ce pas ? Il va y avoir du bavardage. Certains vont se demander pourquoi nous engageons une nouvelle employée alors qu'il y a plusieurs membres de notre personnel ayant les qualifications nécessaires. Vous serez peut-être mal accueillie pendant un certain temps, mais tout s'arrangera certainement par la suite.

— Si ma venue doit créer des problèmes, je peux faire un autre travail. Cal... M. Garrard m'avait parlé de faire du classement au début.

— Le poste dont je vous parle a été choisi par M. Garrard lui-même. Il doit vous considérer capable d'en assumer la charge. Soit dit en passant, à part M. Garrard et M. Smithson, nous nous appelons tous par nos prénoms. Mais ne dites jamais « Cal » en parlant de lui devant les autres, ou vous allez les faire jaser.

Que savait donc cet homme de ses relations avec Cal ? Regan sentit son cœur se serrer.

— Quand dois-je commencer ?

— Demain matin. On m'a informé que vous avez des cours à Braithdale Collège trois après-midi par semaine. Quels sont les sujets que vous étudiez ?

— La sténodactylographie et les affaires commerciales en général.

— Très bien. Vous êtes la fille d'Elliot Ferris, n'est-ce pas ?

— Oui. Avez-vous connu mon père ?

— J'en ai entendu parler. Autrefois son nom était bien connu dans les cercles financiers... pardonnez-moi, je ne voulais pas dire...

— Cela n'a pas d'importance. Mon père aurait sans doute préféré être célèbre par ses succès, que par ses échecs.

L'autre se leva et lui tendit la main.

— Comme nous tous ! A demain matin.

Regan s'habitua rapidement aux exigences du bureau : à part quelques employées du pool de dactylos, elle fut acceptée par tous. De temps en temps les autres la taquinaient gentiment au sujet de son accent britannique.

— Tu es merveilleuse, Regan, on dirait la reine d'Angleterre !

ou :

— Collet monté ! Nous disons « Hi ! » et non « Bonjour » !

Au bout de quelque temps, l'accent canadien, moins traînant que celui des Américains, s'avéra communicatif et peu à peu on cessa de l'appeler « l'Anglaise ».

Entre le travail de bureau et les cours commerciaux, il lui restait peu de temps pour broyer du noir. Le soir, elle sortait avec ses collègues, pour aller danser ou prendre un petit repas ensemble. Elle tenait compte de l'avis de Cal, et refusa systématiquement un deuxième rendez-vous seule avec le même garçon. Quant à Cal, isolé à l'étage des cadres, Regan ne le vit point. Elle s'exerçait à penser à lui le moins possible, tout en sachant que ce n'était là qu'un remède.

Une lettre de Ben lui apporta la confirmation des dispositions financières prises en accord avec Cal. Elle ne mentionnait néanmoins aucun montant. Dans ces conditions, comment connaître la somme à rembourser à ce dernier ? Le seul chiffre qu'elle connaissait était le montant total de leurs courses, lors de l'achat de sa garde-robe. Après maintes hésitations, Regan retira assez d'argent pour couvrir cette dépense et le lui fit porter à Kenny's Bay par messager.

La réponse arriva le lendemain : une simple feuille de papier à lettres à en-tête de la Société Garrard. L'écriture était anguleuse, portant l'empreinte d'une colère contenue : « Avez-vous envie que je recommence ? » lisait-on. Une signature barrait la moitié de la page. Ne voulant pas la jeter, Regan la glissa derrière un hibou en poterie, un de ses premiers achats à Victoria. Ce petit mot courroucé représentait son seul contact avec Cal depuis plus d'un mois. Même la colère était préférable à cette indifférence.

Ce soir-là elle avait rendez-vous avec un des membres du bureau des prix à l'entreprise. Rob Duncan avait vingt-cinq ans et une réputation d'arriviste, mais elle trouvait agréable son attitude insouciante et désinvolte hors des heures de travail. Elle avait toujours refusé de donner son adresse à ses collègues, consciente que son maigre salaire ne la plaçait pas dans la catégorie de luxe que suggérait cet appartement. Cependant, Rob insistait : il avait une voiture, il allait venir la chercher. Regan céda finalement : qu'importait tout cela, il ne le remarquerait même pas.

Il arriva avec ponctualité à sept heures du soir, il ne fit aucune allusion au cadre dans lequel vivant Regan. Quelqu'un dans son service avait un jour remarqué que Rob Duncan était trop beau garçon : c'est presque vrai, se dit-elle — le visage délicatement ciselé, des yeux noisette et des cheveux de lin. Quel contraste avec Cal, qui devait son charme à la force de caractère marquée sur son visage : un attrait vigoureux, qui durerait bien plus longtemps que la beauté d'acteur de cinéma de Rob ! Ce dernier aurait pu faire une carrière cinématographique, pensa Regan, au lieu de travailler chez Garrard, quelle que fut la conscience avec laquelle il s'acquittait de sa tâche !

— Pas encore prête ? Suis-je en avance ?

— Non, c'est moi qui suis en retard. Asseyez-vous, j'en ai que pour un instant.

— Nous ne sommes pas pressés, répondit Rob, à son aise comme toujours. — J'ai retenu une table pour vingt heures. Nous pourrions faire un petit tour en voiture avant, aller jusqu'à Brentwood pour voir les jardins. Connaissez-vous Butchart ?

— Non, mais j'en ai beaucoup entendu parler.

Lorsque Regan revint quelques minutes plus tard, elle remarqua une expression bizarre sur son visage. Une expression qu'il modifia rapidement par un sourire d'admiration à la vue de sa robe.

Le jardin enchanté, créé dans une sablière abandonnée, fit une grosse impression sur la jeune fille. Pendant le dîner, Rob lui posa des questions sur son passé, auxquelles Regan répondit franchement, parlant même de Ben et de son intention de venir la rejoindre à Victoria à l'automne. Toutefois, lorsqu'il l'interrogea avec un intérêt accru sur son choix de cette ville comme lieu de travail, des soupçons prirent forme dans son esprit.

— Vous avez lu ma lettre ! accusa-t-elle.

— Involontairement, admit-il. Je l'ai fait tomber et j'en ai vu le contenu malgré moi. C'était signé « Cal »... vous le connaissez donc bien à ce point ?

— C'est une longue histoire.

Rob avait vu son appartement : maintenant il était au courant de ses relations avec le P.-D.G. Il fallait tout lui raconter, afin qu'il ne se fît pas de fausses idées sur la situation.

A la fin de son récit, au moment du café, Rob remarqua :

— Vous avez eu de la chance de tomber sur quelqu'un comme Garrard !

— Je le sais. Rob, je tiens à ce que tout ceci reste entre nous deux, n'est-ce pas ? N'en dites rien.

— Avez-vous peur de perdre votre place ?

— Non, ce n'est pas cela. Cal... je veux dire, il m'a demandé de ne pas en parler, pour éviter des malentendus.

— Oh, je comprends ! Une belle jeune anglaise seule dans la forêt avec un magnat canadien qui ne manque pas de virilité. Toutes les suppositions sont permises.

A la vue de sa mine consternée, il fit un geste d'excuse et sourit doucement.

— Ne faites pas cette tête-là. C'était pour plaisanter.

— Je n'aime pas ce genre de plaisanterie. Vous n'auriez pas su mon histoire si vous n'aviez pas lu la lettre derrière mon dos.

— Mais j'aurais pu me demander qui payait le loyer de votre bel appartement, tout de même. Maintenant, je comprends. Un véritable philanthrope, notre P.-D.G. !

— C'est mon frère qui a la charge de l'appartement.

Regan avait répondu rapidement, sans être sûre de la véracité de ce qu'elle avançait.

— Pourrions-nous oublier tout cela maintenant ? C'est sans importance, continua-t-elle.

— Sans m'éclairer sur le sens de la phrase dans la lettre ? Non, non, je plaisantais encore une fois. Cela ne me regarde pas.

Il déposa Regan à vingt-deux heures trente devant son immeuble, sans être invité à l'accompagner jusqu'à la porte de son appartement. Regan ne put éviter son baiser d'adieu, mais elle réussit à s'en dégager sans tarder.

— Merci pour cette soirée. Elle a été très agréable dans l'ensemble, Rob.

— Qu'est-ce que vous avez, n'êtes-vous pas assez grande pour vous faire embrasser ?

— Lorsque j'en ai envie, si. Bonsoir, Rob.

106

— Il faut recommencer ! Je vous emmènerai au cinéma.

— Certainement, riposta-t-elle avec ironie. A bientôt.

La première chose qu'elle vit en entrant chez elle fut la lettre. Après l'avoir regardée un instant, elle la déchira en petits morceaux qu'elle jeta dans la corbeille à papier. Cela s'appelle fermer la cage dont les oiseaux se sont envolés, se dit-elle, mais j'ai bien fait de la détruire. Si seulement Rob tenait sa promesse ! Elle eut subitement un coup au cœur. Il ne lui avait rien promis ! Et elle l'avait congédié sans trop de ménagements.

9

Deux jours plus tard Regan eut la conviction que ses craintes étaient bien fondées. Des regards curieux, des chuchotements, des conversations interrompues lorsqu'elle s'approchait d'un groupe... tous ces indices l'inquiétaient. Elle n'osait pas demander une explication à ses collègues, et Rob, à qui elle aurait pu poser la question, l'évitait continuellement. Il avait sans doute été blessé de son refus de flirter avec lui. Regan avait mis entre ses mains une arme qu'il utilisait contre elle. Dans ces circonstances, que pouvait-elle faire ?

L'histoire serait vite oubliée, se rassura Regan, surtout lorsque les autres se rendraient compte du peu d'intérêt que lui portait Cal Garrard. Peut-être les racontars se limiteraient-ils au service où elle travaillait ?

Ce ne fut pas le cas. Le lendemain matin Maurice Bellamy l'appela dans son bureau :

— On vous demande au sixième étage, Regan, dans le bureau de M. Garrard.

Comme elle ne bougeait pas, il précisa :

— Tout de suite.

Regan monta au sixième étage avec l'impression qu'elle allait défaillir. Elle sortit de l'ascenseur, presque sans remarquer la moquette épaisse et le décor somptueux. Elle redoutait la rencontre avec Cal après toutes ces semaines, surtout dans les circonstances actuelles. Pour quelle raison aurait-il demandé à la voir, sinon en raison des rumeurs qui circulaient dans l'entreprise ? La réaction de Cal ne fut pas difficile à imaginer : une violente colère, causée par l'ingratitude et la stupidité de Regan. Il lui avait demandé de garder le silence sur leur randonnée forcée. Si le récit de l'accident était maintenant connu, qui d'autre que Regan aurait pu le raconter ? Qui d'autre en connaissait les détails ?

Le bureau de réception semblait directement sorti d'un magazine de luxe. La réceptionniste blonde, coiffée avec élégance, était une réplique exacte de celles qu'elle voyait autrefois, en attendant son père dans des bureaux. Celle-ci était-elle le prototype des autres, se demanda Regan, en attendant que la femme tournât vers elle son regard glacial.

— Vous pouvez entrer de suite, mademoiselle Ferris.

Si le bureau de réception représentait le Nouveau Monde, celui de Cal, par contre, soulignait la beauté des antiquités de l'Ancien Monde. Les murs et le plafond étaient lambrissés de bois précieux, d'un ton mordoré. Du bois aussi, mais plus foncé, pour le bureau massif devant une grande baie. Cal téléphonait, renversé dans un fauteuil pivotant, les jambes croisées. Sa voix trahissait une impatience très nette à l'égard de son interlocuteur. Il jeta sur Regan un coup d'œil sans changer d'expression, faisant d'une main un geste vers une des chaises en face de lui. Elle la refusa, restant un peu en arrière, ses mains jointes devant elle, attendant la fin de la conversation téléphonique sans donner l'impression d'y faire attention.

Derrière Cal, la vue qui s'offrait aux yeux de Regan était d'une imposante beauté : l'arrière-port d'un bleu étincelant, sur le port, l'Hôtel Empress aux murs recouverts de lierre, et au-delà, la ville elle-même émaillée de parcs aux magnifiques parterres de fleurs. Une belle ville, une ville que Regan commençait à aimer, à considérer comme la sienne. Pourrait-elle rester à Victoria si elle se faisait renvoyer?

Cal raccrocha d'un coup sec pour attirer son attention. Les yeux verts de Regan rencontrèrent le regard d'acier de l'homme, sans pourtant révéler son agitation intérieure.

— Vous m'avez fait venir, fit-elle.

Sur un ton de défi, elle ajouta :

— ... Monsieur.

Ses paupières mi-closes, Cal laissa passer un moment avant de dire d'un ton sec :

— Asseyez-vous.

— Je préfère rester debout, merci.

— Et moi, je préférerais vous voir assise! Alors, asseyez-vous, riposta-t-il brièvement.

Sa voix ressemblait à celle qu'il avait eue au téléphone quelques instants plus tôt.

Regan s'assit sans un mot, ne se départissant pas de son calme, et braquant ses yeux sur un point derrière la tête de Cal. Il ne s'agissait pas d'indifférence : jamais elle ne pourrait être indifférente face à cet homme. Cal savait l'émouvoir, rien qu'en se tenant près d'elle. Mais tout était changé à présent. Elle n'était qu'une employée de la Société Garrard, ce qui modifiait entièrement leurs relations. C'était à elle d'écouter ce qu'il avait à lui dire.

— Regardez-moi.

Regan ne tourna pas ses yeux vers lui.

— J'ai dit, regardez-moi, ordonna-t-il.

Pour souligner ses paroles, il frappa le bureau de son poing serré. Surprise, Regan obéit. Elle ne l'avait jamais vu en colère à ce point-là, sa bouche sardonique, ses mâchoires serrées. Sa témérité oubliée, Regan se sentait vide et sans défense.

— Ce n'est pas ce que vous croyez, supplia-t-elle. Ce n'est pas moi qui ai tout commencé, pas vraiment. Je regrette cette situation autant que vous.

Après un silence de mort, Cal demanda :

— Si vous n'avez pas raconté l'histoire exprès, comment se fait-il que les gens soient au courant de tout ? J'en ai entendu trois interprétations différentes jusqu'à présent, et aucune n'approche de la vérité. La dernière version en date est que j'ai une maîtresse de vingt ans que j'entretiens aux frais de la Société, sous couvert de philanthropie.

Cela devait être la version de Rob, pensa Regan tristement.

— Quelqu'un... quelqu'un a vu le mot que vous m'aviez envoyé. Il l'a mal interprété, et j'ai été obligée de tout lui révéler pour mettre fin à ses soupçons. Malheureusement, je me suis trompée en lui faisant confiance.

— Qui cela ?

— Je ne peux pas vous le dire.

— Vous ne pouvez pas, ou vous ne voulez pas ?

— Je ne veux pas. C'était de ma faute, je n'aurais pas dû laisser la lettre là, où n'importe qui pouvait la voir. J'aurais dû la brûler, comme j'en avais l'intention au départ.

— Et pourquoi ne l'avez-vous pas fait ?

La réponse de Regan fut immédiate :

— J'avais pensé la faire encadrer pour l'accrocher au-dessus de mon lit, en souvenir, ricana-t-elle.

Les yeux gris de Cal se firent plus durs encore, lorsqu'il riposta :

— Continuez donc, et je pourrais bien recommencer. Vous n'êtes pas sortie deux fois avec le même garçon !

— C'est vous qui m'avez conseillé de ne pas me laisser entraîner.

— Je vous ai dit de sortir en groupe, pas en tête à tête avec des garçons.

— Vous savez exactement ce que j'ai fait, puisque vous me faites espionner. Il me faut un peu de variété dans la vie. Je vole de mes propres ailes maintenant, et je n'ai nullement l'intention de commettre la même erreur une seconde fois.

Malgré son trouble, le regard de Regan était serein. Cal tapait sur son bureau avec un crayon d'un petit geste agacé. Sa main puissante était capable de tendresse, se rappela Regan — et d'infliger des corrections cuisantes. Le désir de sentir ses bras autour d'elle encore une fois la bouleversa. Elle dissimula néanmoins son émoi.

— Vous avez changé, affirma-t-il.

— On m'a aidée à changer. « Profitez de l'expérience », m'avez-vous dit, je l'ai fait. Je suis devenue adulte. Je vous dois des remerciements, je me suis conduite de façon absurde avec vous.

— Cela, non. Je n'ai jamais eu ce sentiment.

— Naïve, alors.

— Vous êtes restée ingénue. On ne peut pas tout apprendre de l'existence en six semaines.

— Je n'ai jamais dit que j'ai tout appris, mais que je travaillais sur la question. Il me faudrait six semaines de plus, sans doute, pour parachever mes connaissances !

Il sourit sans gaieté.

— Très drôle, en effet.

Se levant, il se tourna vers la fenêtre.

— Vous rendez-vous compte que vous ne pouvez pas rester dans l'entreprise ?

— Pourquoi donc ? Tout cela sera vite oublié. Personne ne pourrait croire que je suis votre maîtresse. Vous ne me permettriez pas de travailler du tout !

— Bien entendu, fit-il, rageur, j'aurais besoin de vous avoir toute fraîche pour me divertir après ma journée de travail.

Cal considéra l'air soigné de Regan, sa robe-chemisier, simple et de bon goût, son allure fraîche. Puis son regard s'attarda sur la bouche douce et délicatement modelée.

— Qui va croire que j'ai passé trois jours et trois nuits seul avec vous sans même vous toucher ? Aucun homme ne serait assez crédule pour cela.

— Ce que pensent les autres m'indiffère !

— En tout cas, vous n'allez pas rester dans ce bureau, voilà qui est clair.

— Très bien. Je me trouverai une autre place.

Regan se mit debout, le visage blême, les yeux sombres.

— Pas sans mon autorisation.

Maintenant elle se savait battue. Elle se sentit mollir.

— Que dois-je faire ?

— Rentrez chez vous et attendez-moi ce soir : nous aurons le temps d'en discuter ensemble. Chaque problème a une solution. J'aurais dû profiter de la situation il y a longtemps.

Il ne lui expliqua pas le sens de ses paroles étranges, et Regan sut que ce serait peine perdue de lui demander des éclaircissements.

— Et que dois-je dire à mes collègues de travail — à M. Bellamy, par exemple ? Je ne peux pas m'en aller comme cela, au milieu de la matinée.

— Vous n'avez besoin de rien leur dire du tout. Je vais téléphoner à Bellamy pour le prévenir. Prenez vos affaires et descendez en bas. Une voiture vous emmènera à l'appartement.

— Vous rendez-vous compte que cela va donner du poids aux rumeurs ?

— C'est sans importance à présent.

Cal regarda sa montre.

— J'ai un rendez-vous d'affaires dans cinq minutes, ajouta-t-il, autrement je serais venu avec vous pour

114

débattre la question sur-le-champ. A moins d'un contre-ordre, je serai chez vous ce soir à cinq heures et demie.

— Il faut compter longtemps pour cette discussion ?

— Cela dépendra. Ne me posez plus de questions en ce moment, je n'en ai pas le temps. A plus tard !

Un homme, qui lui rappela son père attendait au bureau de réception lorsque Regan quitta Cal. Il la suivit des yeux jusqu'à la porte de l'ascenseur.

Quelle étrange sensation que de prendre l'ascenseur de l'entreprise Garrard pour la dernière fois, se dit Regan. Un silence absolu régnait à son bureau : sans savoir comment réagir à ce témoignage de curiosité, Regan ramassa frénétiquement ses affaires dans les tiroirs de sa table de travail. Sue Gibbons, la fille d'à côté, lui chuchota :

— Qu'est-ce qui se passe ?

— Je quitte le service.

— C'est ce que je vois. Mais pourquoi ?

— Il faut demander à Rob Duncan, répondit Regan amèrement, il connaît toutes les réponses, et ce qu'il ne sait pas, il est prêt à l'inventer.

— Alors, ce n'est pas vrai, ce qu'il raconte au sujet de... ? Personnellement, je ne l'ai jamais cru. Vous n'auriez pas fait ce genre de travail si vous étiez bien avec le patron.

— Merci de me le dire. Et maintenant, essayez de faire croire cela aux autres.

Maurice Bellamy s'approcha, et sans changer d'expression lui dit :

— La voiture vous attend. J'ai reçu des instructions pour vous accompagner en bas.

Et hors de l'établissement, pensa Regan.

— N'ayez pas peur, je ne me sauverai pas. Moi aussi, j'ai reçu des instructions.

Se tournant vers les autres employés, Regan les salua de la main et grimaça un vague sourire.

— Au revoir, tout le monde. Soyez bien sages. Et n'oubliez pas : on vous espionne continuellement !

— Vous n'auriez pas dû dire cela, observa Maurice. M. Garrard n'aimerait pas entendre de pareilles réflexions.

— Cela m'est égal. Je ne suis plus employée chez lui. Remarquant la désapprobation peinte sur le visage de celui-ci, elle soupira et dit :

— Pardonnez-moi, Maurice, ce n'est pas de votre faute. Toute cette histoire n'est qu'une tempête dans un verre d'eau.

— Ils nous manqueront, ces dictons bien à vous. Mais, rappelez-vous, je vous avais mise en garde pour ce qui est de M. Garrard et de votre... hum... amitié.

— Je le sais. Mais vous avez oublié de me prévenir qu'on allait lire ma correspondance personnelle. Au revoir, et merci pour tout. J'ai pris plaisir à travailler avec vous, Maurice. Même pour une si courte période.

La voiture attendait devant l'entrée principale : une grosse limousine américaine conduite par un chauffeur qui ramena Regan chez elle en quelques minutes. L'appartement lui sembla désert, car en dehors du week-end, elle n'avait pas l'habitude de s'y trouver pendant la journée. Elle picora sans appétit à l'heure du déjeuner. Elle attendait impatiemment l'arrivée de Cal, tout en la redoutant. Il lui avait promis une solution à ses problèmes. Quelle serait-elle ? Sa seule certitude était son refus absolu d'accepter de la charité de la part de Cal.

A dix-sept heures trente il n'y avait personne. Un quart d'heure plus tard la réceptionniste blonde téléphona pour l'informer qu'ayant été retenu, M. Garrard arriverait aussi vite que possible. Le temps passait ; seule et en proie à la même tristesse, Regan attendait fébrilement le coup de sonnette de Cal.

Lorsque le timbre retentit enfin, elle courut lui ouvrir.

Elle voulait en finir avec toute cette histoire, qui l'avait rendue si malheureuse. A sa grande surprise, elle trouva Rob Duncan sur le pas de la porte, le visage empreint d'une fureur contenue. La poussant de côté, il entra dans l'appartement.

— Vous avez tout mis en jeu, n'est-ce pas ? grommela-t-il, j'ai été renvoyé !

— Désolée, mais je n'y suis pour rien.

— Je ne vous crois pas ! Vous avez été voir le patron ce matin, et cet après-midi on m'a mis à la porte. C'est vraiment une drôle de coïncidence, vous ne trouvez pas ?

— Votre nom n'a pas été cité, mais il n'aura pas été difficile de savoir comment les rumeurs ont commencé. Vous auriez dû y penser avant de colporter des bruits.

— Je l'ai raconté à une seule personne, protesta-t-il. Comment pouvais-je savoir que l'histoire allait se répéter partout ?

— Parce que c'est ainsi que commencent des commérages, simplement en racontant quelque chose à une seule personne. J'ai moi-même eu l'occasion de découvrir cela.

Regan perdait patience. Sa colère augmenta au souvenir de son entrevue avec Cal.

— D'ailleurs, continua-t-elle, vous n'avez même pas raconté la vérité !

— Oh, je n'étais pas loin.

Le regard de Rob embrassait l'appartement cossu.

— Quel changement pour lui après Dallas ! reprit-il. Elle ne fait pas la petite sainte nitouche, elle !

Regan tremblait sous l'effet de la colère.

— Sortez ! Sortez d'ici tout de suite !

— Bon, je m'en vais. Je vous ai dit ce que je voulais vous dire.

— Vous en avez même beaucoup trop dit ! fit une voix pondérée à la porte d'entrée.

Les yeux de Cal ressemblaient à de la glace.

— Allez, faites ce que je vous dis, partez... et partez vite !

Rob ne demanda pas son reste. Plus mince que Cal et plus petit de quelques centimètres, il battit en retraite. Cal le laissa passer, avec l'air de quelqu'un prêt à le mettre dehors de force, puis il ferma doucement la porte derrière lui.

— Est-il là depuis longtemps ?

— Quelques minutes seulement.

Cal contempla l'expression abattue de Regan, un sourire ironique aux lèvres.

— N'ayez pas l'air si désolée. Naturellement vous n'êtes pas seule à imaginer le pire en ce qui concerne mes relations avec Dallas. Il y en a même pour penser que je devrais régulariser la situation avec elle.

— Je n'imagine rien du tout, nia Regan, autrefois, peut-être, mais plus maintenant.

— Pourquoi avez-vous changé d'avis ?

— A cause de vous. Vous m'avez parlé d'un sens moral, ou de quelque chose comme cela. Et un sens moral, cela s'applique à toutes les situations de la vie, n'est-ce pas ?

— Merci de votre confiance en moi. J'ai parlé d'un sens moral pour une tout autre situation, mais je vois ce que vous voulez dire.

— Je venais de... j'ai fait du café... En voulez-vous ?

— J'aurais plutôt besoin d'un whisky, mais j'accepte votre offre avec plaisir. Apportez la cafetière au living, nous en avons pour un moment !

N'écoutant ni son émoi ni sa curiosité, Regan s'en alla chercher le café à la cuisine. A son retour, Cal se reposait, la tête appuyée sur un coussin. Il avait l'air fatigué, des fines rides creusaient le tour de ses yeux, ce qu'elle remarqua pour la première fois. Il prit la tasse

118

avec un mot de remerciement et avala le café d'un seul trait.

— Puis-je enlever ma veste ? Il fait chaud ici.

— Voulez-vous que je mette la climatisation ?

— Non, merci, cela fait trop de bruit, on ne pourrait plus s'entendre. Dites-moi, Regan, est-ce que je vous ai découragée l'autre après-midi, ici dans votre appartement ? Vous ai-je convaincue de votre erreur à mon égard ?

— Faut-il en reparler ?

— Oui, j'ai besoin de le savoir.

— Pourquoi ?

Cal eut un petit mouvement d'impatience — mais d'impatience avec lui-même.

— Vous n'avez pas l'intention de me le dire, n'est-ce pas ? Il faut que je le découvre de moi-même.

Se levant, il lui prit des mains la tasse à café et la posa sur la table. Regan se raidit, Cal s'approcha.

— Détendez-vous, je n'ai pas l'intention d'aller trop loin cette fois.

S'asseyant à côté de Regan, il l'attira vers lui d'une main, l'autre lui soutenait le dos. Son baiser était une interrogation, sa bouche était plus tendre qu'elle ne l'avait jamais connue. Lentement elle répondit à son étreinte. La pression des lèvres de Cal devint plus forte et tous les problèmes s'évanouirent. Regan ne savait plus qu'une chose : c'était ce baiser qu'elle avait désiré plus que tout au monde. Elle lui passa les bras autour du cou, se serrant contre sa poitrine. Elle ne voulait pas que cela finisse. Cette fois il était sincère, elle le sentait. Il ne profitait plus de sa faiblesse. C'était réel !

— Je remercie le Ciel que vous n'ayez jamais appris à mentir, murmura Cal.

Il l'avait relâchée, hors d'haleine. Sous la soie de son chemisier, son cœur battait la chamade, tout comme celui de Cal.

— Vous ne pensez pas, Regan, vous agissez.

— Est-ce mal ? Oh, Cal, comme j'aime votre parfum.

Il rit de bon cœur.

— Ce n'est pas à vous de dire cela à un homme.

— Pourquoi ?

— Parce que c'est à moi de vous le dire. Ou quelque chose de similaire.

— Cela serait difficile. Je ne porte pas de parfum aujourd'hui.

Tous les sens de Regan étaient bouleversés. Elle était contente que ses cheveux défaits, recouvrent en partie son visage, masquant son émoi. Mais Cal ne lâcha pas son étreinte. Il la maintint plus fermement encore dans ses bras.

— Ah, ne soyez pas embarrassée ! Plus maintenant. Nous pouvons parler plus facilement ainsi.

Il attendait un instant, cherchant ses paroles, puis reprit :

— Savez-vous de quoi je veux vous parler ?

Elle acquiesça d'un signe de tête, évitant son regard.

— Vous avez décidé de... de faire honneur à votre réputation, je suppose, et vous voulez savoir si je veux bien.

— Et votre réponse ?

— Je... je ne sais pas.

— Mais vous aimez mes caresses — vous les aimiez autant que moi il y a quelques instants, Regan.

— Non, je ne suis pas d'accord, j'ai eu le temps de réfléchir.

— Je pourrais peut-être vous faire changer d'avis !

— Non, ne cherchez pas à le faire, Cal.

Elle se troubla.

— Rassurez-vous, je n'ai pas l'intention de le faire. Et je vous aurais rouée de coups si vous aviez accepté !

Regan le regarda, déconfite.

— Mais... je ne comprends pas. Que voulez-vous ?

— Vous allez m'épouser, Regan.

Cal avait parlé d'un ton si égal et si tranquille qu'elle n'y comprit rien. Hébétée, elle l'écouta parler :

— Nous allons tout faire comme il faut. La nuit de noces représente un souvenir inoubliable pour une jeune fille. Cela ne doit pas être la légalisation d'une liaison.

Stupéfaite, Regan le dévisagea de ses yeux écarquillés, puis elle réalisa que Cal ne plaisantait pas. Ses premières réactions : joie, soulagement et émotion étaient l'expression de son amour profond pour cet homme. Elle remarqua alors son visage, alerte et composé, et tout se clarifia dans son esprit. Cal ne l'aimait pas ; il désirait simplement mettre un obstacle définitif à son amour pour Dallas : une jeune épouse serait facile à diriger — il avait déjà commencé à former son caractère !

En proie au désespoir, Regan essaya de rassembler ses pensées de façon raisonnable. Qu'importaient les motivations de Cal, l'essentiel était son désir de l'épouser, elle, Regan ! Une fois mariée, ce serait à elle de lui faire oublier Dallas par la force de son amour. Seulement, l'aimait-elle assez pour cela ? Ce qu'elle ressentait pour Cal, était-ce vraiment l'amour, ou était-ce un sentiment qui passerait avec le temps ? Regan fut incapable de mettre au clair ses émotions.

— Hé, intervint Cal, cela mérite bien une réponse !

— Vous ne m'avez pas posé de question. Vous m'avez simplement informée de ce que j'allais faire.

— C'est ainsi que j'ai appris à vous traiter ! Voulez-vous que je le fasse selon les rites, à genoux ?

— Non, Cal, cela va assez mal avec votre caractère.

— Vous devez avoir raison. Alors ?

— Il me reste un choix à faire ?

— Si vous le désirez, uniquement.

Regan considéra son visage bronzé et vigoureux, sa

bouche qui l'avait transportée de joie quelques instant
auparavant.

— Je ne sais pas. Vous ne m'avez jamais laiss
entrevoir votre désir de m'épouser. Comment... quan
avez-vous pris cette décision ?

— A dix heures trente ce matin, lorsque vous ête
entrée dans mon bureau.

— Comme cela ?

— Comme cela, sans y réfléchir un instant.

Cal promena un doigt sur la joue de Regan, souriar
de son frémissement involontaire.

— J'étais en colère. Plus le temps passait, plus j
m'énervais. Alors vous êtes entrée. Vous aviez le mêm
air que maintenant. J'étais perdu ! J'ai essayé de m
fâcher contre vous, mais il n'y eut rien à faire. J'ava
tellement envie de vous prendre dans mes bras et d
vous embrasser. A cause de vous, j'ai failli remettr
mon rendez-vous !

Il jouait bien son jeu. C'était tout à fait crédible. A u
détail près, il faisait bien attention à ne pas prononcer l
mot « amour », et pour cela elle le respectait.

— Vous n'aviez pas de doutes lorsque je vou
embrassais, n'est-ce pas ? demanda-t-il.

— Quand vous m'embrassez, je suis trop émue pou
avoir des doutes.

— Et ce n'est que le début ! Je veux vous tenir dar
mes bras toute la nuit, m'éveiller à vos côtés le mati
faire l'amour avec vous !

Tout cela vous fait-il peur ?

Regan fit non de la tête.

— Croyez-vous que je puisse répondre à vos aspir
tions ? interrogea-t-elle.

— Je n'ai aucun doute. Vous êtes à la fois, gaie
sensuelle, j'aime votre naturel.

Cal rit lorsque Regan se mit à rougir.

— Votre réponse est « oui », n'est-ce pas ? continua-t-il.

— Accepteriez-vous un « non » ?

— Pas question ! J'ai trop besoin de vous pour renoncer si vite.

Regan accepta cela. Avoir besoin de quelqu'un était très proche de l'amour. Elle se pencha et appuya spontanément ses lèvres sur les siennes.

Un peu plus tard, elle murmura :

— Vous ne me trouvez plus trop jeune pour connaître l'amour, comme vous me l'aviez dit ?

— C'était vrai autrefois. Mais vous êtes devenue plus adulte en quelques semaines... à moins que ce ne soit moi qui ne regarde plus la différence d'âge du même œil. Il y a des mariages très réussis, même avec plus de douze ans d'écart entre le mari et la femme. Au fait, quand aurez-vous vingt et un ans ?

— Dans neuf mois.

— Ma pauvre chérie, vous n'étiez qu'un bébé lorsque vous vous êtes retrouvée seule au monde ! Il va falloir fêter votre majorité pour rattraper le temps perdu.

Et je serai à Kenny's Bay à ce moment-là, se dit Regan, dans sa grande maison blanche au bord de la mer. Et Dallas ? Où serait-elle ? Encore là, avec eux ? Regan savait qu'elle n'accepterait pas cela. Elle n'osait pas poser la question à Cal tout de suite. Mais sans doute n'avait-elle pas de raison de s'inquiéter à ce sujet. Cal n'aurait pas envie de garder Dallas auprès d'eux et ainsi souligner la différence d'âge entre les deux femmes. Sa gorge se resserra. Cal oublierait Dallas. Elle l'y aiderait ! Même s'il lui fallait des années, elle y parviendrait !

Résolument, elle adopta un ton pratique :

— Vous mettez donc fin aux rumeurs, je vais pouvoir continuer de travailler !

— Pas du tout ! fit Cal avec fermeté, vous ne travaillerez ni chez moi, ni ailleurs.

— Que vais-je faire, alors ?

— Vous serez occupée à préparer votre trousseau. Nous allons nous marier à la fin du mois. Où voulez-vous aller en voyage de noces ?

Un frisson de plaisir parcourut Regan.

— Je ne sais pas, faites-moi la surprise !

— Entendu.

Cal l'embrassa de nouveau.

— Il faut que je m'en aille, dit-il.

— Vous êtes obligé de partir ?

— Non, répondit-il, je ne suis pas obligé, mais si je ne m'en vais pas, je finirai par passer la nuit ici, et cela, je me suis juré de ne pas le faire.

— Voulez-vous dire que vous n'en avez pas envie ?

— Ne me tentez pas, chérie, j'ai assez de mal à me convaincre moi-même ! Je reviendrai demain à midi à la même heure. Préparez vos valises.

— Mes valises ?

— Vous allez venir avec moi à Kenny. Avez-vous pensé un seul instant que je pourrais vous laisser seule ici ?

— Seule ? Vous voulez dire sans surveillance !

— Maintenant vous parlez de moi comme d'un garde-chiourme ! Je veux que vous soyez là où je peux vous voir à n'importe quelle heure ! Et vous serez en sécurité, des garçons comme Duncan ne pourront pas faire irruption.

Il fallait beaucoup de courage à Regan pour dire :

— Je ne pense pas que Dallas sera très contente de m'avoir à la maison.

La bouche de Cal se fit plus dure.

— Dallas aura des dispositions à prendre, et naturellement elle sera partie de la maison à notre retour de voyage de noces.

Quel soulagement! Cal savait que Regan pourrait supporter la présence de l'autre femme jusqu'au jour de leur mariage. Après cela ils seraient seuls, tous les deux !

— Mais Cal, il y a à peine quinze jours avant la fin du mois.

— Je le sais. J'en suis ravi.

Il lui prit le visage entre ses mains et la regarda de manière à lire dans ses pensées.

— Vous n'avez pas de réserves à formuler, Regan ?

— Non, aucune.

Ses doutes s'évanouirent lorsqu'il la toucha. Il ne l'aimait pas peut-être comme elle désirait être aimée, mais il avait besoin d'elle. La tâche de Regan était de développer et approfondir ce besoin, de se rendre indispensable, de se faire aimer de lui.

— Oh, Cal, comme Ben va être surpris !

— Il ne sera pas seul. Ce sera un véritable fait divers. Cela est une autre raison pour vous garder auprès de moi à Kenny. Je ne veux pas que vous soyez poursuivie par les journalistes.

— J'ai oublié la place importante que vous occupez dans ce pays. Je ne vous ai vu qu'une seule fois en brasseur d'affaires, ce matin lorsque vous m'avez fait venir dans votre bureau.

— Je regrette de vous avoir mise sur la sellette comme cela. J'aurais dû vous parler en privé des rumeurs qui circulaient, mais le résultat aurait été le même.

— En êtes-vous sûr ? Même si vous n'aviez pas eu le temps de réfléchir ?

— Je pense à cela depuis la dernière fois que nous nous sommes vus. Pourquoi croyez-vous que j'ai contrôlé vos allées et venues ? J'avais du mal à me retenir quand je pensais que quelqu'un pouvait me couper l'herbe sous le pied. Je sais que vous êtes sensible.

— Non, pas avec les autres hommes !

Cal étudia son expression d'une façon étrange.

— Pourquoi ? fit-il, vous aimez être embrassée et caressée. C'est normal d'ailleurs. Vous avez dû vous sentir assez troublée pour répondre à la cour d'un de ces garçons. Vous en avez fait de même avec moi, lorsque je vous ai embrassée pour la première fois.

— C'était différent.

— Parce qu'il s'agissait de moi ? C'est bon à savoir. Je peux vous émouvoir plus qu'un autre, même s'il s'agit d'une émotion limitée... pour le moment.

Regan ferma les yeux, lorsque Cal lui caressa le menton de son pouce, essayant de cacher la blessure causée par ses dernières paroles.

— Vous m'avez dit que j'apprendrais facilement, fit Regan.

— Pour certaines choses — pour le reste... j'attends trop de vous, et trop tôt. Oubliez tout cela. Allez vous coucher, dormez bien et faites de beaux rêves !

Il l'embrassa encore une fois avant de partir, mais avec une certaine réserve.

Regan ferma la porte d'entrée à clé derrière lui et essaya de mettre de l'ordre dans ses pensées bouleversées. Elle se savait débutante dans les jeux de l'amour. Il était évident que Cal avait connu d'autres femmes avant elle. Il connaissait à fond les besoins des femmes, leurs désirs physiques. Il ne savait pas tout, néanmoins.

S'il la traitait avec douceur à présent, il n'avait pas toujours agi ainsi par le passé. Il pensait qu'elle désirait être traitée de la sorte, avec bonté et ménagement, et il avait tort. Le plus vif désir de Regan était de rester avec lui. Elle voulait lui appartenir complètement. Elle allait devenir sa femme, et elle l'aimait. De cela elle était sûre aujourd'hui même si par moments elle avait eu des

126

doutes. Etait-ce mal de désirer l'amour de Cal, un amour dont il n'avait pas parlé ?

Une fois couchée, la lumière éteinte, Regan se rendit compte qu'elle avait surtout besoin d'assurance. Une fois qu'elle serait complètement à Cal, il serait engagé à fond. Il le lui avait dit, et parce qu'il était un homme d'honneur, elle le croyait. Si jamais il changèait d'avis avant le mariage, elle ne le supporterait pas. Regan ne s'inquiétait plus de l'amour de Cal. Peu importait. Tout ce qu'elle désirait c'était de devenir sa femme.

10

Ils arrivèrent à Kenny's Bay au début de l'après-midi par un temps ensoleillé. Au lointain, les hauts sommets étaient d'une beauté impressionnante. Jamais la mer n'avait été aussi bleue, le ciel aussi limpide. Lorsqu'elle vit la maison perchée au-dessus de la baie, Regan sentit le bonheur l'envahir. C'était donc sa maison, bientôt son foyer. Dans un avenir peut-être très proche, ses enfants seraient sur la plage, il y aurait des jouets dans le patio et près de la piscine. Elle pouvait imaginer le fils de Cal : ce serait Cal en miniature, les cheveux bruns, les yeux gris et l'esprit indépendant. Et Cal serait un père ferme, mais juste.

Regan sourit à cette pensée. Ils n'étaient même pas encore mariés, et elle avait déjà peuplé la maison de leurs enfants ! Cal ne voudrait peut-être pas en avoir, mais elle espérait que cela n'était pas le cas. Un sujet de plus à aborder ensemble.

A leur arrivée, Dallas était absente de la maison. La femme de ménage, Marie, lui prit ses bagages avec un sourire accueillant. Elle ne laissa rien transpirer de la curiosité concernant le retour de Regan à la maison. Avec Peter, son mari, l'homme à tout faire, ils étaient les seuls informés du prochain mariage, mais la nouvelle allait se répandre comme une traînée de poudre. Regan se demandait si Cal avait l'intention de faire l'annonce du mariage, ou de se confier à quelques amis intimes seulement. Ils n'avaient pas encore parlé de cela non plus.

Il ne fit pas de commentaires au sujet de l'absence de Dallas. Il devait retourner en ville à seize heures, mais il parut heureux de passer deux heures avec Regan pour tout lui montrer. Avant de quitter l'appartement, ils avaient fait un repas typiquement canadien : un assortiment de viande froide, suivi de salade et de fromage.

Cal suggéra un bain de mer. Regan accepta avec joie. Elle appréhendait de rester seule à la maison, bien qu'il lui promît de revenir pour le souper.

On lui donna la même chambre que lors de sa première visite. En passant le bikini jaune, elle surprit son image dans la grande glace. Quelle différence subtile avec la fille aperçue dans cette même glace il y avait quelques semaines ! Elle était plus mince, mais d'une manière indéfinissable, plus femme. Regan espérait que Cal allait le remarquer. Elle voulait désespérément être considérée comme une femme et non une adolescente. Cela les rapprocherait davantage.

Vêtu d'un peignoir de plage en tissu-éponge blanc, les pieds chaussés de sandales en corde, Cal l'attendait. Il ne fit pas d'observation à la vue de son bikini neuf, mais Regan se sentit détaillée des pieds à la tête, avec approbation. Mise en confiance, elle l'accompagna vers la plage en passant par un escalier de pierre.

La mer chaude les portait sur les flots. Cal empêchait Regan de nager trop loin de la rive, lui bloquant le passage lorsqu'elle insistait en riant gaiement.

— Il y a des courants un peu plus loin, vous seriez en difficulté si vous vous trouviez prise dedans. Seule, il ne faut jamais dépasser la ligne de rochers là-bas, dit-il avec insistance. Promettez-le-moi, Regan.

— Mais je ne suis pas seule en ce moment, s'écria-t-elle.

D'un coup, elle plongea entre ses jambes pour refaire surface plus loin en le saluant de la main.

— Allons, Cal, la course à deux !

Cal faisait des brasses longues et puissantes. Il l'attrapa par la taille pour la remettre à la verticale dans l'eau. Il l'attira vers lui et la regarda intensément. C'est alors qu'elle se rendit compte de son sérieux.

— Je ne plaisante pas ! haleta-t-il avec rudesse, il vous faut apprendre à faire la différence entre l'audace et l'imprudence ! Ecoutez mon conseil, j'en sais plus long que vous sur ce sujet. Ou baignez-vous dans la piscine.

Il la tenait contre sa hanche. Elle sentait la dureté de sa cuisse musclée contre la sienne, la force de ses doigts sur sa taille.

— Excusez-moi, fit-elle à voix basse, c'était pour rire, Cal, je ne serais pas allée plus loin !

— Vous n'en auriez pas eu la possibilité, grâce à moi. Si vous voulez être audacieuse, attendez que nous soyons sur la terre ferme. Compris ?

— Oui.

Regan eut le bon sens de ne rien ajouter. Ils nagèrent ensemble jusqu'à la plage. Regan essuya ses cheveux et passa sa robe de plage, sans se retourner vers Cal. Lorsqu'il l'entoura de ses bras elle se raidit un instant, puis se détendit. Il déposait un baiser derrière son oreille.

— Je n'aurais pas dû crier comme cela, s'excusa-t-il.

Les lèvres sur la peau de Regan, il ajouta :

— Ce n'était pas nécessaire ; vous m'aviez bien compris. Que vous êtes belle, Regan, ma petite sorcière enchanteresse ! Je voudrais que notre mariage se fasse tout de suite !

— Ce n'était pas mon idée, cette attente, répondit Regan d'une voix voilée.

— Non, c'était la mienne, et je commence à changer d'opinion, sérieusement !

Elle sourit, rassurée.

— Encore une ou deux semaines, Cal. Je crois que nous pourrons attendre.

— C'est ce que vous voulez, Regan ?

— Oui.

C'était la vérité. Elle voulait être sûre de lui.

— Vous aviez raison, Cal, c'est mieux ainsi, pour nous deux !

— Alors, attendons. Ce ne sera pas facile.

Elle débordait d'amour pour lui, et désirait le lui dire, mais les mots lui manquaient. Peut-être pourrait-elle s'exprimer plus tard, quand elle serait dans ses bras. Elle le lui chuchoterait dans le silence velouté de la nuit.

Cal quitta la maison vers quinze heures trente, vêtu d'un costume gris. Il se rendait en ville. Après son départ, Regan resta au bord de la piscine, les yeux fermés au soleil, le corps léger. Il serait de retour d'ici peu de temps. Ils souperaient ensemble, et après le souper peut-être iraient-ils se promener sur le sentier de la falaise. Le lendemain, c'était samedi, ils le passeraient ensemble. Peu importait ce qu'ils allaient faire toute la journée. Il seraient seuls, ensemble, cela lui suffisait. Ils avaient tant de choses à dire, tant de projets à faire. La semaine prochaine, il faudrait décider de sa toilette pour la cérémonie : Elle se marierait en blanc, bien entendu : Elle en avait le droit ! Elle porterait un voile. Elle le soulèverait lorsque le prêtre dirait : « Embrassez la mariée ! » Tout cela lui paraissait fantasmagorique. Le mariage devait avoir lieu à l'église, elle le savait déjà. Elle ignorait laquelle, ainsi que le nombre des invités. Elle ne les connaîtrait pas, naturellement, à quelques exceptions près, mais peu lui importait. Cal serait à ses côtés : Cal, son mari. Eperdue de joie, elle jura de le rendre heureux : jamais il ne regretterait sa décision.

Regan finit par oublier Dallas, mais un peu plus tard elle entendit une voiture arriver devant la maison. Elle était bien trop heureuse pour se laisser abattre par sa venue. Etait-elle sûre du sentiment de Cal pour Dallas ? Si Cal n'avait jamais dit : « Regan, je vous aime », cela n'impliquait pas qu'il n'était pas amoureux d'elle. Elle, l'aimait, et ne lui avait pourtant jamais dit : « Cal, je vous aime. »

Regan était dans une chaise longue sur la pelouse lorsque Dallas entra, les yeux cachés par des lunettes de soleil. Mais sa froideur transparaissait dans l'aplomb qu'elle affichait, une froideur dont Regan soupçonnait l'origine.

— Satisfaite, mon chou ? Vous avez décroché le gros lot, susurra-t-elle.

— Je suis heureuse, si c'est cela que vous voulez dire, répondit Regan tranquillement. Je ne veux pas me disputer avec vous. Nous ne serons jamais amies, c'est évident, mais nous devons nous conduire de façon civilisée.

Dallas resta silencieuse pendant un long moment. Elle parut surprise, Regan aussi avait été surprise par ses propres paroles. Elles lui étaient venues spontanément, instinctivement.

— Vous savez que Cal ne vous aime pas, n'est-ce pas ? lança Dallas.

— Pourquoi dites-vous cela ? répondit Regan froidement.

— Parce que je connais Cal Garrard, mon chou — et mieux que vous ne pourrez jamais le connaître !

Il ne faut pas lui laisser voir, se dit Regan douloureusement, ne pas lui donner cette satisfaction.

— Je conviens que vous le connaissez mieux que moi, fit-elle avec effort, mais tout va changer. Nous aurons tout notre temps, Cal et moi — jour et nuit !

— Des nuits ? Jusqu'à ce qu'il trouve la virginité un peu lassante ! Cal est comme la plupart des hommes, il se voit apprendre les plaisirs de la vie à une jeune fille innocente. Mais il attend autre chose d'une femme que ce que vous pourrez lui donner. Une fois le charme de la nouveauté passé, il s'en rendra compte lui-même... et il me reviendra.

Ne sachant plus se maîtriser, Regan se dressa, les yeux éclatants, le visage pâle de colère.

— Que me dites-vous là ! Vous êtes une menteuse ! Cal n'a jamais...

— Jamais quoi ? demanda Dallas, Cal ne m'a jamais fait la cour ? Quelle innocente vous faites ! Qui d'après vous m'a emmenée à Victoria il y a trois ans ? Qui m'a présentée à son père ? J'ai connu Cal trois mois avant de faire la connaissance de son père. Il était fou de moi, il voulait m'épouser !

— Et vous avez épousé son père, riposta Regan.

— Les conditions n'étaient pas les mêmes à ce moment-là. Cal n'était malheureusement que l'héritier, et Paul semblait pouvoir vivre pendant des années. Il n'était pas vieux, vous savez. Il avait la cinquantaine, et il était en parfaite santé. Nous nous sommes entendus du mieux qui soit, dès le début.

Dallas sourit avant de continuer :

— Je pense que Paul a trouvé cocasse de prendre la femme qu'aimait son propre fils ! Il était l'inverse de Cal ; ils étaient toujours en désaccord. Cal a quitté Victoria la veille de notre mariage pour ne revenir qu'un mois plus tard. Cependant, il ne m'a pas haïe pendant longtemps. Cela lui fut impossible.

Dallas était assise, ses longues jambes croisées devant

elle, sa belle silhouette galbée dans une robe de soie blanche.

— Paul s'est tué deux mois plus tard au cours d'un voyage. Il était allé voir flotter les bois après la coupe, dans des forêts où il avait des concessions, ajouta-t-elle d'une voix dénuée d'émotion.

Regan avait mal au cœur, sa gorge se serrait.

— Et il vous a laissée sans assurer votre avenir… Oh, pardonnez-moi, Dallas, cela ne me regarde pas.

Dallas ne semblait ni émue par la remarque, ni par les excuses de Regan.

— Vous avez raison : Paul n'a jamais changé son testament. Lorsqu'ils ont dépassé la cinquantaine, beaucoup d'hommes préfèrent ne pas penser à l'avenir. Cal a hérité de tout. J'aurais pu attaquer le testament, bien sûr, pour demander mon dû, mais pourquoi traîner le nom de la famille devant les tribunaux. Je n'ai pas eu besoin de le faire : Cal m'a constitué une rente très généreuse, lorsqu'il est revenu habiter ici à Kenny. Très généreuse. C'est vraiment un homme spécial, votre fiancé, mais je suppose que vous le savez déjà ?

Regan passa vivement sa robe de plage et ses sandales.

— Oui, je le sais. Et je ne souhaite plus rien entendre !

— Vous n'avez pas besoin d'en entendre davantage, poursuivit Dallas, sans pitié — vous savez que c'est vrai ! Cal ne m'a pas gardée auprès de lui pendant deux ans par simple charité, ou par compassion. Il était incapable de me laisser partir !

Regan aurait dû se retirer, mais elle riposta :

— Il vous a dit d'aller vivre en ville quand nous avons déjeuné ensemble, le jour où vous lui avez parlé de la maison d'Oak Bay.

— Oh, c'était ma punition pour l'avoir suggéré ! Je n'ai pas besoin de vous expliquer le châtiment qu'il réserve à ceux qui le contrarient ! Et vous, que vous fait-il ? Vous donne-t-il la fessée ? Soyez adulte, mon chou, ricana-t-elle, regardez tout cela sous son vrai jour. Il vous épouse parce qu'il veut un héritier pour continuer la lignée. Même si j'étais d'accord sur ce point — or je ne le suis pas — il ne pourrait pas m'épouser. De toute façon, je n'ai nullement envie d'avoir un enfant, c'est sans doute pour cela que j'ai épousé un homme qui avait déjà un fils.

— Vous me dégoûtez ! Je ne vous crois pas ! lança Regan.

Les yeux bleus de Dallas étincelèrent.

— Cela m'est égal ! Démêlez le vrai du faux vous-même... s'il y a du faux dans ce que je viens de vous dire ! ou, mieux encore, demandez à Cal et observez ses réactions. Lorsqu'il est piqué au vif, il a un muscle de sa mâchoire qui se met à frémir, juste là, à côté de sa bouche. Il n'en sait rien, probablement, mais c'est un incide précieux pour quelqu'un qui le connaît... bien.

Que risquait Dallas en lui parlant ainsi ? Elle savait que Regan ne soufflerait mot de leur conversation. Regan s'avoua que Dallas était fine, et intuitive. Quel dommage que son intelligence fut méchante et désagréable.

Il fallut à Regan tout son courage pour quitter Dallas sans esclandre. Une fois hors de vue, elle se précipita dans sa chambre et s'affaissa sur son lit, se mordant le poing pour s'empêcher de pleurer. Je ne la crois pas, se répéta-t-elle violemment : Dallas mentait, tout n'était que mensonge. Cal n'aurait pas pris comme maîtresse la femme qui l'avait abandonné pour devenir l'épouse de son père ! Ce n'était pas son genre. Mais comment s'en assurer ? Regan le connaissait depuis si peu de temps. Le connaissait-elle réellement, ou voyait-elle en lui seulement ce qu'elle désirait voir ? Ses doutes la harcelaient.

Incapable de faire face au regard entendu et pernicieux de Dallas, Regan resta tout l'après-midi étendue sur son lit. Elle y était encore lorsque Cal revint, plus tôt qu'elle ne s'y attendait. Les doubles rideaux étaient tirés pour masquer le soleil couchant lorsqu'il frappa à la porte. Cal prit un air très soucieux à la vue de Regan enveloppée d'une robe de chambre et couchée sur la couverture. Il s'assit sur le lit et prit la main chaude de Regan dans les siennes.

— Qu'avez-vous, Regan ? Etes-vous malade ?

— Je crois que j'ai une insolation. Ne vous inquiétez pas, je serai bientôt remise, murmura-t-elle d'une voix éteinte.

Elle garda les yeux fermés, quand il lui caressa le front et la joue. Elle avait fort à faire pour ne rien lui avouer.

— Ma pauvre chérie, quel mauvais début à notre premier week-end ensemble.

— Ce n'est rien, Cal, demain je serai rétablie.

Regan ne savait pas quelle différence une nuit pourrait lui faire, mais cela lui laissait un peu de répit, le temps de réfléchir. Réfléchir ? Qu'avait-elle fait d'autre pendant les deux dernières heures ? Et pour arriver à quoi ?

— Cela m'étonnerait. Si c'est une insolation, mieux vaut appeler le médecin, observa Cal.

— Non ! sursauta-t-elle.

Elle prit sa main, ses yeux agrandis par la peur, et se rendit compte de son erreur lorsque Cal prit un air étonné. Elle avait réagi avec trop de véhémence, il lui fallait atténuer l'impression d'agitation.

— Non, Cal, s'il vous plaît, n'en faites rien. J'irai tout à fait bien après une bonne nuit de repos.

— Entendu, répondit-il, se pliant à ses caprices, nous verrons cela demain matin. Seulement mieux vaut vous coucher que de rester sur le lit comme cela. Où est votre chemise de nuit ?

— Dans le tiroir de la commode. Mais je me débrouillerai toute seule, je ne suis pas malade à ce point.

— Du calme, fit-il doucement, je n'avais pas l'intention de vous la passer moi-même, petite fille !

— Ne m'appelez pas ainsi !

Regan se mordillait la lèvre de lui avoir parlé d'un ton acerbe.

— Pardonnez-moi, Cal, je suis énervée.

Il jeta sur le lit la chemise diaphane.

— Si votre tête vous fait mal comme je le pense, ce n'est guère étonnant ! Je vais vous chercher de l'aspirine. En attendant, déshabillez-vous. Ce n'est presque pas la peine de mettre un vêtement aussi léger, ce n'est sûrement pas fait pour une malade. Attendez-moi, j'en ai pour quelques minutes seulement.

Cal réapparut avec un verre d'eau et deux cachets d'aspirine, que Regan absorba, assise dans son lit, les couvertures fermement remontées jusqu'au cou. Il ne dit rien, mais elle sentit son irritation. Elle se comportait de manière ridicule, tous deux le savaient.

— Dormez vite, si vous le pouvez. Je reviendrai vous voir plus tard dans la soirée.

Regan eut envie de lui dire que ce n'était pas la peine, mais se retint. Elle ferma les yeux : Cal resta à côté du lit, et la regarda pendant un long moment avant de la quitter.

Peut-être est-ce l'aspirine qui l'apaisa, ou son esprit était-il redevenu raisonnable : Regan n'en savait rien. Au bout d'une demi-heure de réflexion, elle prit une décision. Peu importait si Dallas mentait : ce qui comptait c'était le présent. Au dire de Cal, Dallas devait partir avant leur retour de voyage de noces, ce qui signifiait qu'il désirait la voir partir. Quels que furent les rapports entre Dallas et Cal par le passé, cela ne changeait en rien ce qu'elle, Regan, ressentait à son égard. Elle l'aimait, elle l'acceptait tel quel — pour le meilleur et pour le pire. Elle n'y penserait plus, à condition que Dallas ne fasse plus partie de leur vie.

Dallas fut très étonnée de l'apparente perte de mémoire de Regan au petit déjeuner du lendemain matin. De temps en temps ses yeux bleus et brillants fixaient la jeune fille, qui affecta de l'indifférence à son égard, ne s'intéressant qu'à l'emploi du temps de cette belle matinée ensoleillée. Cal fut soulagé de trouver Regan complètement remise. Il avait une certaine tendresse pour elle, il désirait la posséder, c'était indéniable.

Cal et Regan prirent la voiture tous les deux, et remontèrent la route du littoral jusqu'à Campbell River. Ils décidèrent de pique-niquer à Elm Falls. Un spectacle grandiose s'offrait à leur vue : une chute d'eau dans une gorge rocheuse de quarante mètres de profondeur. Pendant le repas, assis parmi les sapins géants, ils parlèrent de tout et de rien. Regan savait sa gaieté superficielle, mais cela faisait un rempart entre elle et ses pensées de la veille. Si Cal remarqua son attitude, il ne lui demanda rien. Regan en fut ravie car elle eût été incapable de se justifier.

Cal arrêta la voiture dans un endroit isolé de la vallée Comax et prit Regan dans ses bras. Ses baisers étaient toujours ardents mais il sentit qu'elle lui répondait faiblement. Au bout d'un moment, il la relâcha.

— Qu'avez-vous ? Ne voulez-vous pas que je vous embrasse ?

— Bien sûr que si !

— « Seulement »... expliquez-vous, Regan, vous vous raidissez lorsque je vous touche.

— Pardon. C'est... parce que mes sentiments pour vous sont trop forts. Vous m'avez dit que ce ne serait pas facile, cette attente. Vous aviez raison.

— J'ai dit que ce ne serait pas facile pour moi, et c'est vrai. Cependant je tiendrai ma promesse de ne pas vous toucher avant notre mariage. N'ayez pas peur de répondre à mes baisers.

— C'est peut-être moi qui désire oublier cette promesse ! Encore quinze jours, c'est trop long !

— Alors, quoi ? demanda Cal, dois-je passer ces quinze jours à ne pas m'approcher de vous ?

Ah, cela, non ! voulait crier Regan, mais une certaine prudence lui fit dire :

— Ce serait peut-être mieux.

Cal leva la tête de Regan d'une main et plongea son regard dans le sien, la scrutant avant de répondre :

— Comment ? Qu'est-ce que tout cela, Regan ? Ne me poussez pas à bout ou je serai réellement fâché avec vous !

— Lâchez-moi, vous me faites mal !

— Alors, répondez !

Comment lui dire la vérité ? Elle voulait être aimée de lui et elle avait peur de le perdre.

— C'était... pour vous taquiner.

La voix de Cal était sauvage.

— Me taquiner ? Vous qui voulez être traitée en adulte, vous vous conduisez comme une gamine mal élevée ! Ne me provoquez pas ou je pourrais oublier ma promesse. Quand allez-vous devenir adulte, Regan ?

D'une petite voix contenue, elle murmura :

— Je n'ai pas réfléchi.

Un mélange de colère et de honte monta en Regan, lorsqu'il mit le contact de la voiture sans un mot.

— Cal, voulez-vous... si vous avez changé d'avis, je pourrais toujours rentrer en Angleterre.

Les yeux de Cal étaient de granit.

— Je n'ai pas changé d'avis, et vous non plus. Vous allez m'épouser, et je ferai de vous une adulte. Et maintenant, taisez-vous !

Il n'y avait rien d'autre à faire. Elle connaissait la mauvaise humeur de Cal. D'ailleurs, elle l'avait largement méritée. Elle s'était trompée, elle s'était conduite de façon idiote : elle n'était plus une enfant.

Bientôt il reprit la conversation : ce n'était pas dans sa nature de bouder, lorsqu'il avait dit tout ce qu'il avait à dire, mais Regan sentait toujours en elle une contrainte.

Ils furent de retour à Kenny peu de temps avant le souper. Regan se changea, elle enfila une simple jupe de coton et un T-shirt. Elle trouva Cal et Dallas au living. Il était debout près de la porte-fenêtre, Dallas était assise un peu plus loin. Il y avait dans l'atmosphère une grande tension, comme s'ils avaient eu des mots ensemble, mais leurs expressions ne révélaient rien.

Regan mangea peu : Le souper avait été une épreuve. Ils prirent le café au bord de la piscine éclairée par les derniers rayons du soleil. Le ciel était turquoise, tirant sur le violet et l'indigo. La nuit ne tarderait pas à tomber. Il y eut un grand silence, puis Cal s'adressa à Regan.

— Vous avez l'air fatiguée, il faut vous coucher de bonne heure. Etes-vous encore malade ?

— Non, un peu lasse. Bonsoir, à demain.

Incapable de dormir, Regan se mit à la fenêtre pour regarder la mer sombre et ses reflets d'argent.

— J'ai vu votre lampe allumée, dit Cal sur le seuil de la porte, je vous croyais endormie. Ne restez pas à la fenêtre, vous pourriez attraper froid.

Regan sentit que le moment était mal choisi, mais elle voulait savoir.

— Cal, voulez-vous avoir des enfants tout de suite, lorsque nous serons mariés ?

Interloqué, il répondit après une pause :

— Je n'y avais pas pensé, mais il est certain que j'aimerais en avoir tôt ou tard. Et vous ?

— Oui... Cal, j'ai peur, croyez-vous que cela va marcher ? Notre mariage, je veux dire.

— J'en suis sûr. Tout sera différent après.

— Sauf nous. Nous serons les mêmes.

— Les gens évoluent. Vous deviendrez plus... plus responsable. Oh, Regan, pardonnez-moi pour cet après-midi. J'ai été trop dur avec vous, mais il ne fallait pas me provoquer. On aurait dû se marier tout de suite. Seulement, je pensais qu'il fallait préparer une cérémonie : c'est important pour une femme, c'est elle la princesse du jour. Pour un homme c'est différent. Il attend le départ des invités. C'est alors que le mariage prend toute sa signification : la mariée devient sa femme. Au fait, voulez-vous que Ben vous conduise à l'autel ?

— Oh, oui !

— J'appellerai Royd Patterson par radiotéléphone, il arrangera tout.

Regan ne pouvait imaginer la réaction de son frère. Elle ferait plus ample connaissance avec lui pendant les quelques jours avant le mariage.

— Bonsoir, murmura Cal. Et il déposa un léger baiser sur sa tempe.

Elle voulut lui demander s'il allait se coucher immédiatement, ou s'il allait rejoindre Dallas. L'atmosphère entre eux était chargée de la frustration d'un homme, qui désire une femme hors de sa portée.

Regan se tortura l'esprit à cette pensée, puis décida de ne plus y songer. Elle devait se concentrer sur son bonheur à venir : son mariage avec Cal.

11

Les jours suivants furent trop chargés pour laisser à Regan le temps de se tourmenter. Elle choisit sa toilette : une robe en brocart façonné assortie d'une ravissante petite toque, et d'un voile long et romantique. Le seul fait d'épouser M. Garrard lui avait valu une attention toute particulière au salon de couture. Dans ce tourbillon de préparatifs, Regan avait le cœur gros. Cal lui dirait sans doute qu'elle était belle, mais jamais il ne prononcerait les mots qu'elle souhaitait entendre. Peut-être ne les entendrait-elle jamais de sa bouche, toute sa vie durant.

L'annonce de leur mariage dans la presse locale, ainsi qu'une photo floue de la fiancée fit de Regan une célébrité dans les boutiques de la ville. Cal était trop connu pour laisser la jeune fille garder l'anonymat.

— C'est la rançon de la gloire, expliqua-t-il. C'est comme si vous étiez une célébrité — une vedette de cinéma, ou un membre de la famille royale ! Ils ne peuvent pas mettre un pied dehors sans être harcelés par des journalistes. Pour la circonstance il ne s'agissait que d'un célibataire endurci ayant cédé aux charmes d'une belle jeune fille. Tous les hommes regarderont votre photo dans le journal, en se demandant ce que vous avez pu me trouver !

— Oh, Cal, ne croyez pas cela, souffla Regan. Même si les hommes pensent que je vous épouse pour votre argent, cela ne serait l'opinion d'aucune femme.

— Merci, Regan-aux-yeux-verts, comme vous savez flatter mon égocentrisme !

Flatter son égocentrisme, oui, pensa Regan, consciente de ses limites. Dallas lui avait prédit que Cal se lasserait vite d'une fille vierge et innocente, et déjà il en manifestait les signes.

La semaine passa lentement. Tous les matins, Cal la déposait en ville pour faire ses emplettes : ils déjeunaient ensemble, puis il la raccompagnait à la maison ou appelait un taxi s'il n'était pas libre. A son retour de voyage de noces elle prendrait des leçons de conduite. Cal avait refusé catégoriquement de lui apprendre à conduire, car il estimait que c'était le meilleur moyen de se quereller. Il lui fallait un moniteur, qui corrigerait ses erreurs, sans perdre patience. Une fois le permis obtenu, Cal lui achèterait une voiture, rendue nécessaire par l'éloignement de Kennys' Bay. Regan aurait pu lui répondre que d'attendre son retour à la maison serait toujours un plaisir pour elle, mais elle se tût. Une telle remarque lui aurait certainement paru trop puérile.

Au grand soulagement de Regan, Dallas ne s'offrit pas de l'accompagner, lorsqu'elle courait les magasins. Le choix des parures et des chemises de nuit s'avéra difficile. Regan dut renoncer, à contrecœur, aux dessous noirs et aux lignes osées qui s'accordaient mal avec son manque de maturité.

Ben devait arriver le jeudi suivant : ils auraient donc quelques jours pour renouer avec le passé avant le mariage de lundi. Cal l'avait invité à Kenny. Ils pourraient donc se voir.

Ce soir-là Cal avait organisé une soirée pour présenter sa fiancée. Regan avait choisi une robe blanche très simple, fluide, bordée d'un galon argenté. Comme seul bijou elle portait le solitaire que Cal lui avait passé au doigt trois jours auparavant, et un bracelet d'argent acheté autrefois en Angleterre. Ses cheveux avaient beaucoup poussé, et ils tombaient sur ses épaules.

Dallas était belle et séduisante dans sa robe rouge, et le smoking bleu nuit de Cal soulignait ses épaules massives et ses hanches étroites. Regan se sentit déchirée, lorsqu'ils reçurent leurs invités côte à côte. Elle prit la décision de ne rien laisser paraître de son trouble intérieur. Personne ne devait soupçonner la faille qui la séparait de Cal.

Les amis et les connaissances de Cal semblèrent l'accepter. A un moment donné, Regan sortit sur le patio pour respirer l'air frais, et entendit des voix d'hommes venues de l'autre côté d'une haie de bougain-villées.

— Il a plutôt de la chance, notre Cal. Je changerais volontiers de place avec lui !

— Ne dis pas cela devant ta femme ! La mienne m'a déjà accusé de regarder la belle Regan de trop près, mais elle dit que Cal n'a pas le tempérament d'un mari ! Comme si c'était une question de tempérament.

Regan perçut le bruit d'un grand éclat de rire. Ils ne soupçonnaient pas sa présence. Tous les hommes tenaient de tels propos — Tous, sauf Cal. Jamais il n'exposerait publiquement son attirance pour une femme. Elle ne le savait que trop.

Elle fit ses adieux aux invités avec grâce, même lorsqu'elle reconnut la voix d'un des hommes du patio. C'était un petit ventru déjà chauve, accompagné d'une femme ravissante. Il prenait sans conteste ses désirs pour des réalités !

— Fatiguée ? demanda Cal lorsqu'ils furent tous partis, vous n'avez pas dit grand-chose depuis une heure.

— Complètement accablée. Vous connaissez tellement de monde. Cal, il me faudra un peu de temps pour m'y habituer.

— N'avez-vous pas assisté à des réceptions comme celle-ci du temps de votre père ?

— Non, jamais. Il s'agissait toujours de grandes réunions, mais les gens étaient très différents de ceux-ci. Généralement, je ne les aimais pas, je me cachais dans un coin pour lire !

— Vous avez dû vous sentir très seule, commenta Cal, la prenant dans ses bras.

— En effet. Cal, j'essayerai d'être une femme... digne de vous.

— Je le sais, fit-il avec une pointe d'amertume. Allez vous coucher maintenant.

La nuit était chaude. Un orage se préparait sans doute. Regan s'assoupit pendant une heure et s'éveilla avec la certitude qu'il fallait se fatiguer physiquement pour pouvoir se rendormir. Un petit bain dans la piscine fraîche et tranquille la relaxerait sans doute.

Elle enfila rapidement son bikini et sa robe de plage. Toute la maison était silencieuse lorsqu'elle traversa le couloir, toutes les lumières étaient éteintes, y compris celles de la piscine. Cela n'avait aucune importance, il y avait la lune et les étoiles, belles et lointaines, indifférentes à tous ses problèmes.

Elle entra doucement dans l'eau et fit rapidement trois parcours dans la piscine sombre, puis s'accrocha au rebord pour se reposer, regardant ses jambes étendues devant elle, portées par l'eau comme les tiges d'un nénuphar. Je suis un nénuphar, pensa-t-elle, un être végétal sans complications, sans émotions. Je flotterai ici pour toujours, pour ne jamais redevenir un être humain... toujours, toujours...

Un bruit sourd se fit entendre dans la maison. Un instant plus tard, Cal s'avança, humant l'air de la nuit, vêtu d'une robe de chambre courte en soie, dont dépassait un pantalon de pyjama. D'où elle se trouvait, de l'autre côté de la piscine, Regan ne vit pas son expression. Elle discernait simplement l'inclinaison arrogante de sa tête. Elle allait l'appeler, lorsque quelque chose dans sa posture l'en empêcha. Elle ne bougea plus et laissa ses jambes pendre vers le fond de la piscine.

Une mince spirale de fumée s'élevait lentement de la cigarette que tenait Cal : il leva la main et regarda l'extrémité incandescente pendant un instant, puis la rejeta sur les dalles du patio. Regan crut entendre quelques paroles à voix basse, mais elle n'en était pas sûre.

Elle attendit qu'il partît dans la maison et elle nagea lentement vers l'échelle. Elle se hissa dehors et retrouva sa robe et ses sandales à côté du plongeoir. Cal devait être à l'intérieur à présent. Elle ne risquait rien en pénétrant dans la maison. Elle était incapable de s'expliquer pourquoi elle désirait se cacher de lui.

La cigarette se consumait lentement là où Cal l'avait jetée. Regan en vit rougeoyer le bout, lorsqu'une petite brise la caressa. Ce n'était pas dans les habitudes de Cal d'être négligent à ce point. Il avait l'air très préoccupé. Regan se sentit compatissante. Si seulement elle pouvait le soulager de certains fardeaux !

Sans la regarder, elle ramassa la cigarette à peine consumée. Subitement, ses yeux s'attachèrent au mince cylindre blanc, à la marque imprimée au-dessus du filtre. Une seule personne fumait ces cigarettes-là : Cal les trouvait goudronneuses. Et sur le filtre, il y avait des traces de rouge à lèvres... de la couleur que Dallas portait lors de la réception !

Regan resta longtemps à contempler la cigarette. Tout son esprit refusait d'admettre la vérité. Finalement, elle éteignit la cigarette machinalement, en pensant aux arbres et à la broussaille environnants.

Avec un sentiment de fatalité, elle entra dans la maison. Il fallait partir... maintenant, ce soir-même. Elle ne savait pas conduire, mais il y avait le téléphone, elle pouvait appeler un taxi : elle allait faire ses bagages et attendre qu'on vînt la chercher.

Regan ne savait pas où elle allait : c'était d'ailleurs sans importance. Sa destination était là où Cal ne la retrouverait jamais. Là où elle pourrait guérir sa blessure... Cal, qui avait passé avec Dallas ces deux heures après la réception ! Habillé comme il était, ce n'était sûrement pas pour parler de la pluie et du beau temps ! Elle imaginait la blonde pulpeuse l'attirant vers elle, répondant à son baiser avec la passion d'une femme, une véritable femme habituée à ensorceler les hommes. Et Cal donnant libre cours aux émotions qu'il avait contenues pendant ces derniers jours ! Ensuite, Dallas avait dû allumer deux cigarettes et en glisser une entre les lèvres de Cal... Ils allaient bien ensemble. Seulement, Regan n'avait pas l'intention de rester pour en savoir plus long, pour servir de couverture à leur liaison.

Après avoir feuilleté maladroitement l'annuaire, Regan trouva le numéro de la station de taxis. Sa main tremblait. Elle parla à voix basse pour demander qu'une voiture vînt la chercher au carrefour de la route nationale. Le taxi serait là dans quarante-cinq minutes, répondit son interlocuteur sans manifester d'étonnement à cet appel tardif.

En quinze minutes ses affaires furent prêtes, juste ce dont elle aurait besoin dans l'immédiat. Cal pourrait disposer du reste comme bon lui semblerait.

Elle n'en voulait plus. Elle plaça son solitaire bien en évidence sur la coiffeuse, son maillot mouillé par terre à côté. Aucune lettre d'adieu n'était nécessaire, il comprendrait aisément sans cela. Sinon, tant pis. Il pouvait bien aller au diable ! Ce serait un rude coup pour son amour-propre, de se trouver délaissé juste avant le mariage !

Elle ne regarda pas en arrière, et quitta la maison, soulagée de voir la lune se cacher derrière des nuages pour masquer sa fuite. Il lui faudrait attendre le ferry-boat du lendemain, mais Cal attribuerait son absence au petit déjeuner à sa lassitude de la veille. Peut-être ne l'appellerait-il pas avant l'heure du déjeuner, lui laissant ainsi une avance de quelques heures. Avec Dallas, ils pourraient passer la matinée à se remémorer les événements de la nuit précédente !

Le taxi arriva à l'heure et le chauffeur mit son unique valise dans le coffre, sans commentaire. Regan se demanda s'il avait souvent servi de complice à des escapades au clair de lune et s'il savait d'où elle venait.

L'hôtel à Vancouver était petit et de piètre apparence, trop près du port et du quartier commercial pour attirer une clientèle raffinée. Mais le prix était bas, c'est ce qui comptait le plus pour Regan. Elle avait apporté tout l'argent liquide dont elle disposait, mais ce n'était pas beaucoup. Avec une somme aussi modeste, elle devrait se hâter de décider ce qu'elle allait faire. Peut-être trouverait-elle du travail sans permis officiel : il devait y avoir des débouchés pour la main-d'œuvre bon marché, même illégalement. Trouver une place serait sans doute difficile. Le moindre faux pas et Regan serait vraisemblablement aux prises avec la justice.

Une fois encore, Regan fut aidée par l'employé à la réception. Comme le jour où elle avait fait la connaissance de Cal à Prince George. Moyennant finance, il lui ferait les démarches nécessaires pour trouver du travail, lui dit-il le regard égrillard. Regan redoutait le genre de travail qu'on allait lui proposer, mais sans situation, elle ne pourrait subsister plus d'une semaine.

Sa langueur persistait : Regan ne voulait pas, n'osait

pas penser à Cal. Elle le bannirait de son esprit. Plus tard, elle en souffrirait, mais à présent il fallait résister à la douleur. En son for intérieur, elle savait ce que serait désormais sa vie : après le choc, viendrait la peine, une peine que rien ni personne ne pourrait atténuer.

L'employé de l'hôtel l'informa qu'un rendez-vous l'attendait avec un éventuel employeur le soir même, dans le quartier chinois de la ville. Regan fit taire ses appréhensions : elle pouvait refuser le poste, s'il ne lui convenait pas.

L'après-midi, elle se promena lentement dans la ville entre le parc Stanley et Prospect Point où elle regarda passer les bateaux. Les montagnes au-delà de l'entrée du port lui rappelèrent douloureusement les perspectives de Kenny's Bay. Son cœur se serra, aucune larme ne vint mouiller ses yeux. A quoi servirait de pleurer, cela ne changerait rien.

Lorsqu'elle retourna à l'hôtel, l'employé scruta bizarrement son visage, sans faire un geste pour lui donner la clé de sa chambre. Instinctivement elle jeta un coup d'œil circulaire vers l'entrée minable, et se figea sur place à la vue de Cal.

Son regard était sans expression : seul le muscle de sa mâchoire émettait un signe révélateur. Il portait une veste de daim qu'elle ne connaissait pas, sa chemise était ouverte et chiffonnée comme s'il n'avait pas fait attention en s'habillant.

— Vos affaires sont dans la voiture. Nous partons, ordonna-t-il brièvement.

Regan l'accompagna malgré elle. Cal était capable de la porter jusqu'à la voiture si elle lui résistait. Une voiture de location se trouvait à côté de l'hôtel, Cal la fit monter sans dire un mot, puis démarra.

D'un air glacial il conduisait le long de Broadway en direction de l'Université. Il emprunta ensuite le Marine Drive où des maisons cossues longeaient le détroit de

Georgia. Il arrêta finalement la voiture dans un parking tranquille, près de la mer et resta quelques minutes sans rien dire.

— Pourquoi ? demanda-t-il enfin, dites-moi pourquoi. Si le mariage avec moi vous déplaisait tant, vous auriez pu me le dire.

— Vous ne m'auriez pas laissé partir, murmura-t-elle à voix basse.

— Pas comme cela, non. Avez-vous une idée de ce que j'ai ressenti pendant ces derniers jours ? J'ai envie de vous tuer, Regan, de vous prendre par le cou et de vous étrangler !

— Allez-y, alors ! Je préfère mourir que de supporter la vie que vous vouliez me faire vivre.

Regan avait la gorge serrée, elle continua néanmoins :

— Je savais que tout ne serait pas parfait entre nous. Je l'acceptais volontiers. Je pensais que vous l'aviez accepté également. Pourquoi avez-vous changé d'avis ?

Regan contempla les rayons du soleil sur la crête des vagues.

— Vous en êtes responsable. Je me baignais dans la piscine lorsque vous avez quitté Dallas samedi soir... ou dois-je dire dimanche matin ? Vous ne m'avez pas vue, vous étiez trop absorbé par le souvenir des charmes de votre maîtresse !

La main de Cal attira le visage de Regan vers lui d'un coup sec. Elle remarqua l'éclat de ses yeux, la pâleur de son teint.

— *Quoi ?* s'écria-t-il, répétez cela, si vous l'osez !
— Essayez-vous de nier ?
— Je n'essaie rien du tout. J'affirme ! Dallas n'est pas ma maîtresse ! Je devrais vous faire demander pardon à genoux pour une observation aussi déplacée que celle-là !

— Cal... vous me faites mal.

Il la lâcha brusquement dans un geste de mépris.

— Vous avez raison, Regan, ce n'est pas une solution. Sans doute ai-je ma part de responsabilité.

Sa voix n'était plus qu'un chuchotement, ses yeux brillaient dans son visage blême, Regan répondit :

— Si j'ai tort, je vous demande pardon. Seulement...

— *Si* vous avez tort ? Que voulez-vous que je fasse, que je prête serment ? lança-t-il.

— Non, Cal, si vous m'assurez qu'il n'y a jamais rien eu entre elle et vous, je vous crois.

Il y eut un changement subtil dans l'expression de Cal.

— Je n'ai jamais dit qu'il n'y avait rien eu. J'ai simplement dit qu'il n'y a plus rien entre nous !

— Le jour où vous m'avez amenée à Kenny, Dallas m'a assuré que vous étiez amants depuis deux ans, depuis le décès de votre père.

— Et vous l'avez crue, comme cela ?

— Que pouvais-je faire d'autre ? Elle connaissait tout de vous, tous les petits détails intimes. Des détails que seule connaîtrait une femme ayant vécu avec vous.

— Nous avons vécu dans la même maison, c'est tout. Nous avons toujours occupé des chambres séparées, croyez-moi. Je n'aurais sans doute pas dû la laisser rester auprès de moi dans ces circonstances. J'aurais dû la mettre dehors et prendre les dispositions nécessaires pour l'installer ailleurs. Cela semble facile à dire aujourd'hui, mais il est trop tard.

— Parce que vous avez cru pouvoir cacher vos sentiments pour elle, et que vous ne le pouvez plus ?

— Non, parce que je l'ai gardée à la maison pour une seule raison, qui n'est pas à mon crédit. Ecoutez : vous allez entendre une histoire sordide que vous le vouliez ou non. J'ai rencontré Dallas à Vancouver il y a un peu plus de trois ans. Elle venait d'arriver d'Angleterre avec

152

un garçon dont elle était déjà lasse. Je ne me suis pas fait prié pour accepter ce qu'elle m'offrait.

— Elle m'a dit que vous vouliez l'épouser ! interjecta Regan.

— Moi, épouser une femme comme elle ? Jamais de la vie ! Elle était avec un autre lorsque je l'ai rencontrée : Elle avait eu des dizaines d'aventures avant.

— Cela n'a pas dérangé votre père.

— Il ne le savait pas. Et même, je ne sais si cela lui aurait importé. Il avait envie d'elle parce qu'il pensait que je la voulais.

— Il était jaloux de son propre fils ?

— Jaloux de tout ce qui était plus jeune que lui. Lorsqu'il a épousé Dallas, il a connu un regain de vie. Il s'est tué en voiture quelques mois après, avant de pouvoir se rendre compte que Dallas n'était pas du genre fidèle.

— Mais elle vous a été fidèle pendant ces trois ans ! Avait-elle l'espoir de vous épouser ?

— Jamais ! Ce qu'elle voulait, c'était obtenir une capitulation de ma part. Elle collectionne les cœurs, c'est un besoin chez elle. Chacun de nous a des besoins.

— Et... vous.

— Je voulais me venger d'elle. Je l'ai regardée jouer son petit jeu jusqu'au moment où elle a réalisé que je ne marcherais jamais ! A mon retour de Fort Lester j'avais la ferme intention de lui dire de partir. Puis, lorsque vous êtes entrée dans ma vie, tout cela me parut sans importance. J'avais une décision à prendre à votre égard.

— Je ne comprends pas, hésita Regan, vous avez fait tout ce que vous pouviez faire pour moi en me donnant un emploi et un appartement.

— C'est ce que je me suis dit. Puis il m'est devenu apparent... que vous m'aimiez. Toutes vos actions, toutes vos paroles ne faisaient que souligner la différence entre nous. J'avais l'intention de vous donner une leçon, l'après-midi ou je suis venu chez vous.

— C'est pour cela, alors, que vous m'avez donné la fessée, comme à une gamine stupide.

— Il fallait nous arrêter. Moi et vous. C'est pourquoi je suis parti en vitesse.

— En me laissant seule pendant six semaines !

— J'avais besoin de réflexion. Et vous, il vous fallait rencontrer d'autres hommes. Ce que je ne soupçonnais pas, c'est que vous alliez le faire de si bon cœur !

— Ils étaient nombreux, mais aucun ne me plaisait.

— D'accord, nous en avons déjà parlé. Je pensais même que les rumeurs venaient de vous. Mais moi, je vous ai donné la possibilité de vous expliquer.

Regan baissa la tête, humiliée.

— Vous voulez dire que vous m'auriez tout expliqué sur cette nuit avec Dallas si je vous l'avais demandé ?

— Bien sûr. Mais non, cela aurait été trop simple pour vous. Mieux valait partir sans dire un mot.

— J'étais blessée — et peinée.

— Peinée ? Je comprends. Alors vous avez eu envie de me faire de la peine à votre tour. Mais pas comme cela, trois jours de recherches, pour finir par vous trouver dans ce... ce bouge. Ne recommencez jamais, Regan, ou je ne réponds pas de mes réactions !

Regan respirait à peine.

— Vous voulez m'emmener à Kenny avec vous ?

— Vous avez une meilleure idée ? Ah, oui, je vous dois une explication, c'est cela ?

— Cela m'est égal, je vous ai dit que je croyais...

Regan s'arrêta, un sanglot bloquait sa gorge.

— Je vais tout vous raconter. Après la réception, j'étais avec Dallas, c'est vrai, mais c'est elle qui est venue dans ma chambre pour essayer de me relancer une dernière fois. Lorsque je l'ai écartée, elle a essayé de me brûler avec sa cigarette. Je la lui ai arrachée. Puis je lui ai laissé jusqu'au lendemain matin pour quitter la maison.

— Et vous êtes sorti sur le patio pour jeter la cigarette tachée de rouge à lèvres, et c'est là que je vous ai trouvé ! Je vous demande pardon, Cal, je suis désolée.

— Moi aussi ! J'avais besoin d'un peu d'air frais, c'est pour cela que je suis sorti. Si j'avais su que ma future femme, emplie de confiance pour moi se trouvait à proximité, j'aurais fait attention. Seulement, comment savoir que vous alliez la trouver. Comment soupçonner l'interprétation que vous alliez faire ?

— Je sais... L'amour suppose que l'on ait confiance en l'autre... mais je vous connaissais assez mal.

— Que savez-vous de l'amour, Regan ? Ce que vous ressentez à mon égard n'est pas de l'amour. Vous avez simplement envie que je vous fasse l'amour. Vous voulez frissonner d'émotion entre mes bras. C'est un sentiment que vous n'aviez jamais éprouvé auparavant et vous ne pouvez pas y résister. Mais il ne s'agit pas d'amour, ma chérie, cela s'appelle le désir !

La tête levée et les yeux pétillants de colère, Regan voulut lui rendre la pareille.

— De votre part, c'est presque drôle ! Je me suis trompée au sujet de Dallas, mais moi aussi j'ai passé trois jours abominables. Et n'essayez pas de me dire qu'il y a autre chose que votre amour-propre qui ait souffert de mon départ ! J'étais votre possession, la naïve petite Regan. Mais elle est partie ! Je suis enfin adulte, Cal, et jamais je n'épouserai un homme comme vous. Je ne...

Réalisant ce qu'elle était en train de dire, elle s'arrêta à mi-phrase et se jeta sur la poitrine de Cal, le saisissant par les revers de sa veste.

— Oh, Cal, non, non, ce n'est pas vrai ! Je vous aime ! Que m'importe votre sentiment pour moi. *Moi*, je vous aime.

Il hésita une seconde, puis enveloppa Regan dans ses bras et l'embrassa ardemment. Elle lui rendit baiser pour baiser, ses yeux ruisselaient de larmes qu'il essuya doucement avec son mouchoir.

— L'arme secrète de la femme, railla-t-il avec, cette fois, un peu de réserve dans la voix. Peu d'hommes résistent aux larmes.

— Elles sont véritables, Cal, croyez-moi : je vous aime. Que faut-il que je fasse pour vous convaincre ?

— Rien, fit-il d'un ton raffermi, sinon de vous trouver à l'église lundi matin, Regan-aux-yeux-verts ! J'ai toujours su que vous ne m'aimeriez pas comme je vous aime, au début, tout du moins. J'ai également des choses à apprendre. Nous apprendrons l'amour ensemble.

— Non, ce sera toujours pareil. Vous ne pensez pas que je puisse vous aimer en femme. Vous m'avez récemment parlé de mon absence d'inhibitions. Voyez-vous, Cal, je suis comme cela avec vous, uniquement avec vous, parce que vous avez besoin d'une femme comme cela et je veux être tout ce dont vous avez besoin ! Croyez ce que vous voulez, il n'est pas en mon pouvoir de vous faire changer d'avis. Peut-être après la naissance de notre premier enfant me traiterez-vous en adulte ? Vous pourrez être paternel avec lui au lieu de l'être avec moi !

— Regan ?

Ses yeux voilés par l'émotion, Cal la regardait comme pour la première fois. D'un doigt il traça la ligne de sa bouche et sentit ses lèvres trembler.

— Regan, je vous crois, je vous crois ! Oh, Regan...

Elle le serra contre son cœur et répondit à ses baisers avec ardeur. Peut-être ne connaissait-elle pas les finesses de l'amour ? Tout cela était sans importance. Cal lui apprendrait. Elle avait tout un apprentissage à faire. Il fallait apprendre à manier cet homme dominateur, le rassurer pour compenser sa profonde insécurité. Et cela, elle devait l'apprendre toute seule, ce serait difficile, mais elle y réussirait. Elle avait toute la vie devant elle... ils avaient toute une vie devant eux !

— Cal, murmura-t-elle, je t'aime !

— Moi aussi, je t'aime, Regan !

Une vie entière, rien que du bonheur.

Étude du VERSEAU

par Madame HARLEQUIN

(20 janvier-18 février)

Signe d'Air.
Maître planétaire : Uranus.
Pierres : Améthyste, Opale.
Couleurs : Violet, Bleu pâle.
Métal : Platine.

Traits dominants :

Gentillesse.
Esprit large et compréhensif.
Sens de l'amitié et de la fidélité.
Besoin d'indépendance mais crainte
de la solitude.